WORKBOOK

José B. Fernández
UNIVERSITY OF CENTRAL FLORIDA

Comunicación y cultura

THIRD EDITION AND BRIEF EDITION

Eduardo Zayas-Bazán
EAST TENNESSEE STATE UNIVERSITY, EMERITUS

Susan M. Bacon
UNIVERSITY OF CINCINNATI

Prentice Hall

UPPER SADDLE RIVER, NJ 07458

To Grenfell

VP, Editorial Director: Charlyce Jones-Owen
Editor-in-Chief: Rosemary Bradley
Assistant Editor: Meriel Martínez
Media Editor: Heather Finstuen
Editorial Assistant: Amanda Latrenta
Production Editor: Claudia Dukeshire
Executive Managing Editor: Ann Marie McCarthy
Cover Design: Ximena Tamvakopoulos
Prepress and Manufacturing Buyer: Camille Tesoriero
Marketing Manager: Stacy Best
Illustrations: Andrew Lange
Page Layout: Michelle LoGerfo

©2001, 1997, 1995 BY PRENTICE-HALL, INC.
A DIVISION OF PEARSON EDUCATION
UPPER SADDLE RIVER, NEW JERSEY 07458

Printed in the United States of America
10 9 8 7 6 5 4 3 2

ISBN 0-13-088703-X

PRENTICE-HALL INTERNATIONAL (UK) LIMITED, *London*
PRENTICE-HALL OF AUSTRALIA PTY. LIMITED, *Sydney*
PRENTICE-HALL CANADA INC., *Toronto*
PRENTICE-HALL HISPANOAMERICANA, S.A., *Mexico*
PRENTICE-HALL OF INDIA PRIVATE LIMITED, *New Delhi*
PRENTICE-HALL OF JAPAN, INC., *Tokyo*
PEARSON EDUCATION ASIA PTE. LTD., *Singapore*
EDITORA PRENTICE-HALL DO BRASIL, LTDA., *Rio de Janeiro*

CONTENTS

TO THE STUDENT

This **Workbook** was created to accompany *¡Arriba! Comunicación y cultura, Third Edition and Brief Edition*. The **Workbook** activities are designed to help you further develop your reading and writing skills while practicing the vocabulary and grammar points featured in your text.

Each lesson in the **Workbook** corresponds to the topics presented in your text and is divided into three sections: *Primera Parte, Segunda Parte*, and *Taller*. Each *Parte* focuses on the particular vocabulary and grammar points of the text and is divided into three subsections: *¡Así es la vida!, ¡Así lo decimos!*, and *¡Así lo hacemos! Estructuras*. Finally, the *Taller* section gives you the opportunity to enhance your reading and writing skills through a variety of practical approaches, including Internet searches and open-ended writing exercises.

LECCIÓN 1

Hola, ¿qué tal?

PRIMERA PARTE

¡Así es la vida!

1-1 Saludos y despedidas. Reread the conversations on page 3 of your textbook and indicate whether each statement is true (**C: cierto**) or false (**F: falso**). If a statement is false, write the correction in the space provided.

C   F   1. El chico se llama Jorge Hernández.

_____

C   F   2. La chica se llama Elena Acosta.

_____

C   F   3. La profesora se llama María Luisa Gómez.

_____

C   F   4. Rosa está muy mal.

_____

C   F   5. Jorge está muy bien.

_____

C   F   6. La señora Peñalver está muy mal.

_____

C   F   7. José Manuel no está muy bien.

_____

C   F   8. El examen es el 3 de octubre.

_____

¡ASÍ LO DECIMOS!

1-2 ¿Saludo o despedida? Decide if each expression below should be used as a **saludo** or **despedida** and write it in the appropriate column.

Adiós.   Hasta mañana.   Buenos días.   ¿Qué hay?
Hasta pronto.   Hasta luego.   Buenas noches.   ¡Hola!

SALUDO	DESPEDIDA
_____	_____
_____	_____
_____	_____
_____	_____

1-3 ¿Formal o informal? Imagine that you are at a party in which you talk to friends as well as older people you don't know. How would you ask a friend and then a stranger the following questions? Write each question in the space provided.

	FRIEND	STRANGER
1. How are you?	_____	_____
2. And you?	_____	_____
3. How is it going?	_____	_____
4. What's your name?	_____	_____

1-4 Respuestas. Imagine that you speak with several friends and strangers at the party. How would you respond to the following questions or statements? Reply in Spanish in the lines provided.

1. ¿Qué tal? _____

2. ¡Buenos días! _____

3. ¡Hasta mañana! _____

4. ¿Cómo te va? _____

5. ¿Cómo se llama usted? _____

6. ¡Mucho gusto! _____

7. ¿Cómo estás? _____

1-5 Conversaciones. Complete each conversation logically by writing in the appropriate words or phrases.

1.   SR. MORALES: Hola, Felipe! ¿_____?

                FELIPE: Muy bien, _____. ¿Y _____, señor Morales?

    SR. MORALES: No muy bien.

                FELIPE: _____, señor.

2.   ENRIQUE: Buenas tardes.

        CARLOS: ¡_____! ¿Cómo se llama usted?

      ENRIQUE: _____ Enrique Fernández.

        CARLOS: Mucho _____.

      ENRIQUE: _____ mío.

3.   FELIPE: Buenos días, profesor Rodríguez.

PROF. RODRÍGUEZ: _____, Felipe.

        FELIPE: ¿_____?

PROF. RODRÍGUEZ: _____, gracias.

        FELIPE: Hasta luego.

PROF. RODRÍGUEZ: _____.

4.   JUANA: Hola, Jorge, ¿_____?

        JORGE: Más o menos, Juana, ¿y _____?

        JUANA: _____, gracias.

¡ASÍ LO HACEMOS!

Estructuras

1. The Spanish alphabet

1-6 Emparejar. Match the Spanish letter on the left with the explanation on the right.

_____ 1. Spanish **g**   a. letter that can be a semivowel or a consonant

_____ 2. Spanish **k**   b. letter that is pronounced like the English *th* in much of Spain

_____ 3. Spanish **b**   c. letter that is pronounced like the hard English *h* before e or i

_____ 4. Spanish **y**   d. letter that appears in words borrowed from other languages

_____ 5. Spanish **z**   e. one of two letters that are pronounced exactly alike

2. The numbers 0–100

1-7 Más números. Write in Spanish the number that comes before (**antes**) and after (**después**) the indicated one.

ANTES		DESPUÉS
1. _____	quince	_____
2. _____	doce	_____
3. _____	veintiuno	_____
4. _____	cuarenta y nueve	_____
5. _____	setenta	_____
6. _____	veintinueve	_____
7. _____	ochenta y cinco	_____
8. _____	noventa y nueve	_____
9. _____	cinco	_____
10. _____	uno	_____

1-8 Las matemáticas. Imagine that Pedro is practicing his math facts. How would he complete each of the following? Write in Spanish the missing number.

1. Once menos _____ son dos.

2. Treinta más _____ son noventa.

3. Ochenta menos _____ son diez.

4. Tres por _____ son cuarenta y ocho.

5. Quince entre _____ son cinco.

6. Dos por _____ son cuarenta.

7. Cien menos _____ son cuarenta y nueve.

8. Doce entre _____ son dos.

9. Once más _____ son treinta y dos.

10. Ocho entre _____ son dos.

1-9 Números de teléfonos. Write in Spanish the phone number in each advertisement.

ESPECIAL
VENDE O ALQUILA
Plazas de Garaje en:
C/ Agustin de foxa, 57
TEL: 5321164

NÚMERO UNO
TAXI
☎ 96 32 74
SERVICIO PERMANENTE
y también GRÚA

1. Radio - Taxi _____

2. Plazas de Garaje _____

3. Days of the week, months, and seasons

1-10 Los días de la semana. Write in Spanish the day that comes before and after the day in the middle column.

ANTES		DESPUÉS
1. _martes_	miércoles	_jueves_
2. _domingo_	lunes	_martes_
3. _miércoles_	jueves	_viernes_
4. _lunes_	martes	_miércoles_
5. _jueves_	viernes	_sábado_
6. _sábado_	domingo	_lunes_
7. _vernes_	sábado	_domingo_

1-11 Los meses del año. Complete by writing in Spanish the missing month in sequence.

1. enero, febrero, _marzo_
2. _junio_, julio, agosto
3. noviembre, diciembre, _enero_
4. mayo, _junio_, julio
5. _septiembre_, octubre, noviembre
6. marzo, _abril_, mayo
7. _augosto_, septiembre, octubre
8. _abril_, mayo, junio

1-12 Los días, los meses y las estaciones. Circle all the days of the week, the months, and the seasons in the puzzle.

```
C  O  D  I  C  I  E  M  B  R  E  V  O  S
E  P  S  S  E  T  R  A  M  U  I  A  S  A
A  B  R  I  L  T  E  D  A  E  U  G  E  B
J  A  N  I  N  V  I  E  R  N  O  O  P  A
U  U  O  V  M  A  E  N  Z  A  T  S  T  D
E  J  L  A  A  A  E  R  O  M  O  T  I  O
V  U  E  I  Y  S  V  C  A  O  Ñ  O  E  G
E  N  E  R  O  R  A  E  T  N  O  L  M  N
S  I  T  F  E  B  R  E  R  O  O  B  I  I
T  O  O  C  T  U  B  R  E  A  O  M  R  M
N  O  V  I  E  M  B  R  E  A  S  R  E  O
L  U  N  E  S  E  L  O  C  R  E  I  M  D
```

1-13 ¿Cierto o falso? Read the following statements and indicate whether the statement is **cierto (C)** or **falso (F)**. If a statement is false, write the correct answer in Spanish.

MODELO: Febrero tiene *(has)* treinta días.
          falso: Febrero tiene veinte y ocho días.

C   F   1. El invierno es en enero.

_____

C   F   2. Abril tiene treinta días.

_____

C   F   3. Hay *(there are)* once meses en un año.

_____

C   F   4. El verano tiene un mes.

_____

C   F   5. La Navidad es en la primavera.

_____

C   F   6. El Día de los Enamorados es en agosto.

_____

C   F   7. Agosto tiene treinta y un días.

_____

C   F   8. Hay dos estaciones en un año.

_____

SEGUNDA PARTE

¡Así es la vida!

1-14 Fuera de lugar. Circle the letter corresponding to the word that does not fit in each group.

1. a. borrador

   b. tiza

   c. pizarra

   d. mochila

2. a. silla

   b. pupitre

   c. escritorio

   d. techo

3. a. ventana

   b. pared

   c. borrador

   d. puerta

4. a. bolígrafo

   b. piso

   c. lápiz

   d. papel

¡ASÍ LO DECIMOS!

1-15 En la clase. Imagine that you are a Spanish instructor. How would you tell your students to do the following?

MODELO: Tell a student to write in Spanish.
Escriba (Escribe) en español.

1. Tell a student to answer in Spanish.

   _____

2. Tell students to listen.

   _____

3. Tell a student to go to the board.

   _____

4. Tell students to study the lesson.

   _____

5. Tell a student to read the lesson.

   _____

6. Tell students to close the book.

   _____

1-16 ¿Qué hay en la mochila? Imagine that a classmate has invited you to have lunch with him and his family. The little brother is very curious about what you have in your bookbag. Answer his questions based on the model.

MODELO: ¿Qué hay en la mochila? (books)
Hay unos libros.

¿Qué hay en la mochila?

1. (pencils) _____

2. (pens) _____

3. (a notebook) _____

4. (a map) _____

5. (erasers) _____

1-17 ¿Qué hay en la clase? Write at least seven items that are in your classroom.
MODELO: *Hay una pizarra.*

1. _____

2. _____

3. _____

4. _____

5. _____

6. _____

7. _____

1-18 En la librería. Imagine that you are doing inventory in the bookstore warehouse. Write in Spanish the number and items you have in stock.

1. 21 tables _____

2. 31 pens _____

3. 66 pencils _____

4. 16 desks _____

5. 1 map _____

6. 30 erasers _____

7. 71 notebooks _____

8. 100 books _____

9. 10 chairs _____

10. 18 bookbags _____

1-19 Los colores. Find and circle the names of ten colors in the puzzle.

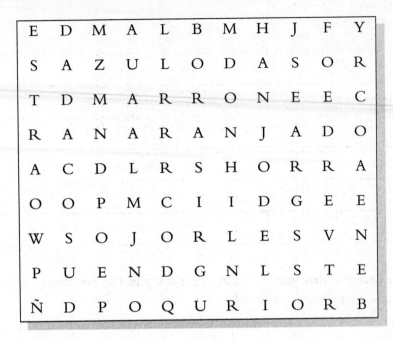

1-20 Los antónimos. Choose the adjective on the right that is the opposite of the one that appears on the left.

_____ 1. simpático   a. inteligente

_____ 2. interesante   b. caro

_____ 3. grande   c. mala

_____ 4. tonto   d. pequeña

_____ 5. buena   e. perezoso

_____ 6. trabajador   f. aburrido

_____ 7. barato   g. antipático

_____ 8. tímida   h. extrovertida

¡ASÍ LO HACEMOS!

Estructuras

4. Definite and indefinite articles; gender of nouns

1-21 El artículo definido. Write the correct form of the definite article for each noun.

1. _____la_____ sillas
2. _____los_____ pupitres
3. _____los_____ relojes
4. _____la_____ luz
5. _____las_____ paredes

6. _____el_____ borrador
7. _____el_____ papel
8. _____el_____ mapa
9. _____la_____ mochila
10. _____el_____ bolígrafo

1-22 El artículo indefinido. Write the correct form of the indefinite article for each noun.

1. _____Un_____ lápiz
2. _____Unos_____ relojes
3. _____Una_____ mochila
4. _____Una_____ ventana
5. _____Unos_____ mapas

6. _____Una_____ tiza
7. _____Unos_____ pupitres
8. _____Un_____ escritorio
9. _____Unas_____ pizarras
10. _____Una_____ mesa

1-23 ¡A cambiar! Change the gender of each noun below.

MODELO: el profesor
          la profesora

1. el señor _____
2. el hombre _____
3. el alumno _____
4. la estudiante _____

5. el chico _____
6. la niña _____
7. la mujer _____
8. la muchacha _____

Nombre: _____ Fecha: _____

1-24 ¿Masculino o femenino? Indicate whether the following nouns are masculine or feminine by writing M or F.

1. _____ libro
2. _____ microscopio
3. _____ pared
4. _____ mapa
5. _____ pupitre

6. _____ tiza
7. _____ lápiz
8. _____ luz
9. _____ pizarra
10. _____ borrador

5. Plural nouns

1-25 Del plural al singular. Change each phrase from plural to singular.

MODELO: los libros grandes
el libro grande

1. las lecciones interesantes ___la lección interesante___
2. unos ejercicios difíciles ___Un ejercicio dificile___
3. las luces blancas ___la luz blanca___
4. unos cuadernos anaranjados ___Un cuaderno anaranjado___
5. las sillas azules ___la silla azul___
6. los relojes redondos ___el reloj redondo___
7. los pupitres caros ___el pupitre caro___
8. unas mesas cuadradas ___Una mesa cuadrada___

1-26 En la librería. Imagine that you work at a bookstore. A customer calls and asks if you carry certain items. Complete his questions, and answer them in the affirmative.

MODELO: ¿*Hay una* mochila?
          Sí, hay unas mochilas.

1. ¿_____ bolígrafo? _____

2. ¿ _____ libro? _____

3. ¿ _____ mapa? _____

4. ¿ _____ lápiz? _____

5. ¿ _____ borrador? _____

6. ¿ _____ cuaderno? _____

7. ¿ _____ papel? _____

8. ¿ _____ pizarra? _____

6. Adjective form, position, and agreement

1-27 ¡A completar! Fill in the blanks with the correct forms of the words in parentheses.

MODELO: *la* pizarra *negra* (el/negro)

1. _____ relojes _____ (un/caro)

2. _____ señoritas _____ (el/antipático)

3. _____ señora _____ (el/trabajador)

4. _____ profesores _____ (un/aburrido)

5. _____ profesora _____ (un/interesante)

6. _____ clase _____ (el/grande)

7. _____ luces _____ (el/amarilla)

8. _____ libros _____ (el/azul)

1-28 No. . . Tony likes to practice Spanish with his friend Isabel, but he sometimes uses the wrong gender. How would Isabel correct the following questions?

MODELO: ¿Es una estudiante mala?
           No, es un estudiante malo.

1. ¿Son unos señores extrovertidos?

   _____

2. ¿Son unos profesores simpáticos?

   _____

3. ¿Es un estudiante tímido?

   _____

4. ¿Es una señorita fascinante?

   _____

5. ¿Es una estudiante inteligente?

   _____

6. ¿Son unos estudiantes perezosos?

   _____

7. ¿Es una señora buena?

   _____

8. ¿Son unas señoritas trabajadoras?

   _____

1-29 En general. Imagine that a friend is making observations about things at the university or in your class. Respond to each observation with a generalization, based on the model.

MODELO: El libro negro es caro.
           En general, los libros negros son caros.

1. El escritorio marrón es grande.

   Los escritorios marrónes

2. La mochila gris es cara.

   Las mochilas grises son caras.

3. El reloj grande es redondo.

Los relojes grandes son redondos.

4. La mesa blanca es cuadrada.

Las mesas blancas son cuadradas

5. El cuaderno azul es barato.

Los cuaderno azules son baratos

6. El estudiante inteligente es trabajador.

Los estudiantes inteligentes son trabajadores

7. La clase grande es interesante.

Las clases grandes son interesantes

8. El libro verde es pequeño.

Los libros verdes son pequeños

1-30 En clase. Complete the following descriptions of people and objects you know. Use colors, adjectives of nationality, or descriptive adjectives.

1. El libro de español es _____

2. El cuaderno es _*negro y gordo*_

3. El/La profesor/a es _*trabajador*_

4. Las sillas son _*verdes y rojas*_

5. Los estudiantes son _*intelligentes*_

6. La pizarra es _*verdes*_

TALLER

1-31 La comunidad: Una entrevista

Primera fase. Identify a native Spanish speaker at your university or in your community whom you can interview. Write four or five things you might tell or ask him/her.

_____

_____

_____

_____

Segunda fase. Interview the person you identified using the expressions and questions from the **Primera fase.** If no native speakers are available, interview a classmate or your professor.

Tercera fase. Summarize the information you learned about the person you interviewed. Include one or two sentences describing his/her personality.

_____

_____

_____

_____

1-32 Cultura: Geografía.
The geography of the Spanish-speaking world is amazingly varied and beautiful. Select a city or region in the Spanish-speaking world and list the geographical features of that area. How have these features influenced the culture, cuisine, language, etc., of the Hispanic community? You may write in English, if you wish.

_____

_____

_____

_____

1-33 De las páginas: El Día de la Raza. María del Valle from **La búsqueda** begins her adventure at El Día de la Raza festivities. El Día de la Raza is a celebration observed in parts of the United States. Look for the following information on the celebration.

1. el mes en que se celebra (*the month in which it's celebrated*) _____

2. las ciudades (*cities*) en que se celebra _____

3. las actividades durante (*during*) la celebración _____

4. el nombre de la celebración en inglés _____

1-34 La clase. Write a brief paragraph describing your classroom. Name as many objects as you can, including information on number and color. Describe your classmates' nationalities. End with a description of your professor.

_____

_____

_____

_____

_____

_____

_____

_____

_____

_____

_____

_____

_____

LECCIÓN 2
¿De dónde eres?

PRIMERA PARTE

¡Así es la vida!

2-1 ¿Cierto o falso? Reread **¡Así es la vida!** on page 39 of your textbook and indicate whether each statement is **cierto (C)** or **falso (F)**. If a statement is false, write the correction in the space provided.

C   F   1. José es español. _____

C   F   2. Isabel es dominicana. _____

C   F   3. Paco es de Valencia. _____

C   F   4. Isabel es muy simpática. _____

C   F   5. Daniel es moreno. _____

C   F   6. Los padres de María son españoles. _____

C   F   7. Carlos es de Maracaibo. _____

C   F   8. Carlos y Lupe son venezolanos. _____

¡ASÍ LO DECIMOS!

2-2 Nacionalidades. Terry explains where some of her friends and acquaintances are from. Complete each of her explanations with the correct form of the corresponding adjective of nationality.

MODELO: Luisa y Ramón son de Puerto Rico.
          Son puertorriqueños.

1. Ana es de Colombia. Es _Colombiana_.

2. Federico es de La Habana, Cuba. Es _Cubano_.

3. Nosotras somos de Buenos Aires, Argentina. Somos _Nosotras Argentinas_

4. Alicia es de la República Dominicana. Es _Dominicana_.

5. Los profesores son de México. Son _____Mexicanos_____.

6. La señora Prieto es de Caracas, Venezuela. Es _____Venezolana_____.

7. Eva y Claire son de Toronto, Canadá. Son _____Canadiense_____.

8. Anita y Lucía son de Panamá. Son _____Panameñas_____.

2-3 También. For each person or group of people that Diego describes, a person or group of people can be described in the same way. How would you tell him this? Write your response to each of these statements, changing the gender of the people from masculine to feminine or vice-versa.

MODELO: El señor pelirrojo es mexicano.
           La señora pelirroja es mexicana también.

1. El profesor argentino es delgado.

   _____

2. Los jóvenes morenos son norteamericanos.

   _____

3. Las chicas simpáticas son panameñas.

   _____

4. La señora guapa es chilena.

   _____

5. El novio español es alto.

   _____

6. El padre es puertorriqueño y rubio.

   _____

7. Los muchachos son inteligentes y trabajadores.

   _____

8. La chica es delgada y joven.

   _____

2-4 Muchas preguntas. Imagine that you've just met Susana and are trying to get to know her. Taking into consideration her answers, complete each question with the most appropriate interrogative words.

1. ¿_____ te llamas?

   Me llamo Susana.

2. ¿_____ eres?

   Soy de los EE. UU.

3. ¿_____ estudias?

   En la universidad.

4. ¿_____ estudias?

   Historia y matemáticas.

5. ¿_____ ciudad eres?

   Soy de Houston.

6. ¿_____ son éstos (these) en la foto?

   Son mis padres y Antonio.

7. ¿_____ es Antonio?

   Es un amigo.

8. ¿_____ es?

   Es alto, delgado, simpático y muy inteligente.

2-5 Los contrarios. Some people are contradictive and seem to oppose everything you say. How would they respond to each of the following statements?

MODELO: El señor es alto.
          No, el señor es bajo.

1. Las estudiantes son pobres. _____

2. El libro es bonito. _____

3. Es una clase buena. _____

4. Adela es muy trabajadora. _____

5. Los estudiantes son antipáticos. _____

6. La mochila es nueva. _____

7. El profesor es joven. _____

8. El cuaderno es barato. _____

9. Las sillas son grandes. _____

10. La profesora es rubia. _____

2-6 En la cafetería. Imagine that you have just met someone in the cafeteria. He asks you the following questions. How would you answer? Use complete sentences.

1. ¿Cómo te llamas?_____

2. ¿De qué país eres? _____

3. ¿De qué ciudad eres?_____

4. ¿Cómo eres? _____

5. ¿Cómo es tu clase de español?_____

6. ¿De dónde es el/la profesor/profesora de español? _____

2-7 Nombres, apodos y direcciones. Reread the **Comparaciones** section about names in your textbook. Then answer these questions about the business cards.

Eduardo Soto España
Director Ejecutivo

Comisión de Intercambio Educativo
Entre Estados Unidos y Venezuela
(Fullbright Commission)

Palomo 305 - 3º
Tel. 392-4971/3855
2013 - 6047
Caracas

José Sigüenza Escudero
Tomasa Miranda de Sigüenza

C/ El Molino, 11
Teléfono 39 21 37

QUEL (Logroño)

José Bernardo Fernández

Aníbal Ruiz Pérez

Departamento de Matemáticas
Universidad de Puerto Rico,
Río Piedras

SERVICIO
DE VIAJES **RODRÍGUEZ** TRAVEL SERVICE

Antonio Rodríguez
DIRECTOR GENERAL

PASEO DE CABALLOS 371
58300 MONTERREY,
MÉXICO

TELS. 21-14-75 Y
21-14-93
TELEX 4902384 HOTME

1. ¿De dónde es Aníbal Ruiz Pérez?

_____

2. ¿De qué país es Eduardo Soto España?

_____

3. ¿De dónde es Antonio Rodríguez?

_____

4. ¿Cuál es el apodo de José?

_____

5. ¿Quién es Tomasa Miranda de Sigüenza?

_____

6. Escribe en español los números de teléfono de Antonio y Eduardo.

_____

¡ASÍ LO HACEMOS!

Estructuras

Verb-to-be

1. Subject pronouns and the present tense of *ser* *Verb-to-be*

2-8 Los sujetos. Write the corresponding subject pronoun for each person or group of people.

MODELO: El estudiante = *él*

1. Charo = _Ella_
2. Susana y yo = _Nosotras_
3. Quique y Paco = _Ellos_
4. las profesoras = _Nosotros (we)_
5. tú y yo = _Nosotros (we)_
6. ustedes y yo = _Nosotros_

7. Francisco = _El_
8. Anita, Carmen y Pepe = _Ellos_
9. Lucía, Mercedes y Lola = _Ellas_
10. Beto y las estudiantes = _Ellos_
11. Mongo y ellas = _Ellos_
12. Toño y tú = _Ustedes_

2-9 Francisco Figueres Rivera. Complete Francisco's description with the correct form of **ser**.

¡Hola! Me llamo Francisco Figueres Rivera y mi apodo (1) _es_ Paco.

(2) _Soy_ de Sevilla, (3) _Soy_ español. Mi papá (4) _es_

colombiano y mi mamá (5) _es_ española. Mis padres (6) _son_ muy

trabajadores. Mis padres y yo (7) _Nostros_ muy simpáticos. ¿De dónde

(8) _eres_ tú? ¿Cómo (9) _eres_ tú, y cómo (10) _eres_ tu clase

de español?

2-10 Identidades. Use the words provided and the correct form of the verb **ser** to form complete sentences or questions. Remember to change the forms of articles and adjectives as necessary.

MODELO: yo / ser / un / alumna / puertorriqueño
          Yo soy una alumna puertorriqueña.

1. nosotros / ser / el / profesores / estadounidense

   Nosotros somos Nos profesores estado-Unidense

2. Ana y Felipe / ser / el / estudiantes / perezoso

   Ana y Felipe son los estudiantes peresoze

3. ¿ser / tú / el / estudiante (f.) / argentino?

   ¿Eres tú la estudiante argentina?

4. Marisol / ser / un / señora / delgada

   Marisol es una señora delgada

5. ¿ser / ustedes / el / estudiantes / francés?

   Son ustedes los estudiante franceses

6. ¿ser / usted / el / señor / mexicano?

   ¿Es usted el señor mexicano?

7. María Eugenia / ser / un / señorita / dominicano

   María Eugenia es una señorita dominicana

8. Mongo y Guille / ser / un / chico / delgado y simpático

   Mongo y Guille son unos chicos degodos y simpaticos

9. ustedes y yo / ser / español

   Ustedes y yo somos español

10. Cheo y yo / ser / un / estudiante / inteligente

    Cheo y yo somos unos estidicate intel.

2-11 Combinación. Write at least six sentences in Spanish by combining the appropriate items from each column. Remember to change adjectives when necessary.

yo		venezolano
Pepe y Chayo		argentino
tú		puertorriqueño
Mongo y yo	ser	dominicano
tú y él		trabajador
ella		paciente

1. _____
2. _____
3. _____
4. _____
5. _____
6. _____

2-12 Ramón y Rosario. Complete the conversation between Ramón and Rosario with the correct form of **ser**.

— Hola, me llamo Ramón Larrea Arias y mi apodo (1) __es__ Mongo.

— Mucho gusto, Mongo. (2) __Yo soy__ Rosario Vélez Cuadra.

— ¿De dónde (3) __eres tú__ ?

— (4) __Yo soy__ puertorriqueña, ¿y tú?

— (5) __Yo soy__ panameño, pero mis padres (6) __son__ colombianos.

— ¿Cómo (7) __es__ tu clase de inglés?

— Mi clase (8) __es__ muy interesante y todos nosotros (9) __somos__ muy trabajadores.

—Y, ¿cómo (10) __es__ la profesora?

— La profesora (11) __es__ muy simpática. Ella (12) __es__ canadiense.

(13) __Ella es__ de la ciudad de Vancouver.

— ¡Ay! (14) __Son__ las doce en punto. Mucho gusto, Mongo. Hasta luego.

— Mucho gusto. Adiós, Charo.

2. Telling time

2-13 ¡Adiós! Carolina does not wear a watch but should. Complete each of the following typical exchanges she has, based on the model.

MODELO: ¿A qué hora es tu clase de inglés?
(3:00 p.m.) *A las tres. ¿Qué hora es?*
(2:58 p.m.) *Son las tres menos dos. ¡Adiós!*

1. ¿A qué hora es tu clase de biología?

   (1:00 p.m.) _A la una. Qué hora es?_____

   (12:50 p.m.) _Es la una menos diez._____

   ¡Adiós!

2. ¿A qué hora es tu clase de español?

   (10:15 a.m.) _A las dies y cuarto. ¿Qué horaes?_____

   (10:05 a.m.) _Son las diez y cinço_____

   ¡Adiós!

3. ¿A qué hora es tu clase de arte?

   (7:30 p.m.) _A las siete y media. ¿Qué hora es?_____

   (7:25 p.m.) _Son las siete y veinticinco._____

   ¡Adiós!

4. ¿A qué hora es tu clase de francés?

   (11:15 a.m.) _A las onces y cuarto ¿Qué hora es?_____

   (11:10 a.m.) _Son las once y diez._____

   ¡Adiós!

5. ¿A qué hora es tu clase de matemáticas?

   (4:45 p.m.) _A las cinço menos cuarto. ¿Qué hora es?_____

   (4:35 p.m.) _Son las cuarto menos veinticinco._____

   ¡Adiós!

2-14 Los horarios de vuelo. Read the timetable of AEROMEDitariano flights and answer the following questions. Write the flight number in Spanish.

(Horarios sujetos a posibles variaciones)

España - Italia (IDA) ✈AEROMEDitariano

RUTA	VUELO°	DÍAS	SALIDA°	LLEGADA°
MADRID-ROMA*	AZ1373	DIARIO	07:55	10:20
MADRID-ROMA*	AZ367	DIARIO	12:50	15:15
MADRID-ROMA*	AZ365	DIARIO	17:55	20:20
MADRID-MILÁN	AZ1377	DIARIO	08:15	10:20
MADRID-MILÁN	AZ1355	DIARIO	12:20	14:25
MADRID-MILÁN	AZ355	DIARIO	18:25	20:30

Teléfonos de Información y Reservas:
- Madrid-Ciudad: 559 95 00 (De lunes a viernes, de 9 a 19h.)
- Aeropuerto de Barajas: 305 43 35 (Todos los días, de 7 a 19h.)
- AEROMED Premium Program: 900 210 599 (De lunes a viernes, de 9 a 17h.)

*Más de 150 conexiones a 40 ciudades de todo el mundo.

(**vuelo** = *flight*, **salida** = *departure*, **llegada** = *arrival*

1. ¿A qué hora es la salida del vuelo AZ 1373?

   _____

2. ¿Cuántos vuelos diarios hay de Madrid a Milán?

   _____

3. ¿A qué hora es la llegada del vuelo AZ 1377?

   _____

4. ¿A cuántas ciudades hay conexiones?

   _____

5. ¿Cuál es el número del teléfono de información en Madrid?

   _____

3. Formation of yes/no questions and negations

2-15 ¿No? Unscramble each group of words to form statements with tag questions.

MODELO: ¿verdad? es Mariberta de Colombia
          Mariberta es de Colombia, ¿verdad?

1. ¿no? / son / muy delgados / Arturo y David

   _____

2. es / inteligente / la estudiante / ¿cierto? / cubana

   _____

3. Verónica / ¿verdad? / se llama / la señora

   _____

4. gordo / ¿no? / es / Toño / bajo y

   _____

5. es / ¿sí? / Gregorio / antipático

   _____

2-16 De mal humor. Your friend is in a bad mood and says no to everything you say. Use the cues to form affirmative sentences and then write your friend's negative response. Make all of the necessary changes.

MODELO: Luisa / ser / trabajador
          Luisa es trabajadora.
          Luisa no es trabajadora.

1. Pepe / ser /venezolano _____

   _____

2. Arturo y Miguel / ser / inteligente_____

   _____

3. Beto y Mongo / ser / pobre_____

   _____

4. Tú y yo / ser / canadiense _____

   _____

2-17 Preguntas y respuestas. A new friend has many questions to ask you. First, change the sentences below to yes/no questions, and then answer them using complete sentences.

MODELO: Tú eres de Bilbao.
¿Eres de Bilbao?
No, no soy de Bilbao, soy de Barcelona.

1. Tú eres de Salamanca.

   ¿ _____?

   _____.

2. Los estudiantes son de Valencia.

   ¿ _____?

   _____.

3. Rosa y Chayo son de Santander.

   ¿ _____?

   _____.

4. Tú eres de Madrid.

   ¿ _____?

   _____.

5. El profesor de matemáticas es perezoso.

   ¿ _____?

   _____.

4. Interrogatives

2-18 ¿Cuáles son las preguntas? You heard the answers in an interview but didn't catch the questions. Write the questions that prompted each response below.

MODELO: Soy Antonio Ramírez.
¿Quién es usted?

1. Soy de Santiago de Compostela.

   _____

2. El profesor es muy simpático.

_____

3. Los estudiantes de la clase son inteligentes.

_____

4. La mochila es de Raúl.

_____

5. Los estudiantes venezolanos son Carlos Andrés y Rafael.

_____

6. El examen es a las dos de la tarde.

_____

2-19 Las decisiones. You have entered a contest and must decide between **qué** or **cuál(es)** depending on the context in order to be the winner.

MODELO: ¿ _Qué_ hora es?

1. ¿_____ de los estudiantes es Cheo?

2. ¿_____ son tus clases interesantes?

3. ¿_____ hay en la clase de español?

4. ¿_____ hora es?

5. ¿_____ día es hoy?

6. ¿_____ es el libro de español?

2-20 En la clase. The new student has many questions about the class. Complete her questions with the correct interrogative word.

1. ¿_____ no hay un escritorio en la clase?

2. ¿_____ es el examen de español?

3. ¿_____ es la mochila de Raúl?

4. ¿_____ mesas hay en la clase?

5. ¿_____ días hay tarea?

6. ¿_____ son los estudiantes españoles?

7. ¿_____ es la profesora Diéguez?

8. ¿_____ ciudad es la profesora?

SEGUNDA PARTE

¡Así es la vida!

2-21 Nuevos amigos. Look again at the photos on page 56 of your textbook and reread the descriptions. Then answer the questions in complete sentences in Spanish. You may want to review the interrogative words on page 40 of your textbook before you begin.

Celia Cifuentes Bernal

1. ¿De dónde es ella?

   _____

2. ¿Cuántos idiomas habla?

   _____

3. ¿Cuáles son?

   _____

4. ¿Qué estudia? ¿Dónde?

   _____

5. ¿Cuándo es el examen de biología?

   _____

6. Son fáciles los examenes de la profesora, ¿verdad?

   _____

Alberto López Silvero

1. ¿Cuántos años tiene?

   _____

2. ¿Cuál es su (*his*) nacionalidad?

   _____

3. ¿Qué habla?

   _____

4. ¿Qué estudia? ¿Dónde?

   _____

5. ¿Cuándo trabaja?

_____

6. ¿Dónde trabaja?

_____

7. ¿Qué practica con los amigos?

_____

Adela María de la Torre Jiménez

1. ¿Es rubia o morena?

_____

2. ¿De dónde es?

_____

3. ¿Qué estudia?

_____

4. ¿Cuándo baila con sus amigos?

_____

5. ¿Dónde baila?

_____

Rogelio Miranda Suárez

1. ¿Qué estudia?

_____

2. ¿Cómo son las clases?

_____

3. ¿Cuándo estudia con los amigos?

_____

4. ¿Cuándo nada él?

_____

5. ¿Practica el tenis en una discoteca?

_____

¡ASÍ LO DECIMOS!

2-22 Actividades

Primera fase. Match each activity with the most logical expression on the right.

1. _____ escuchar
2. _____ bailar
3. _____ hablar
4. _____ nadar
5. _____ conversar
6. _____ mirar
7. _____ trabajar
8. _____ estudiar
9. _____ practicar
10. _____ preparar

a. con un amigo en el café
b. en una discoteca
c. mucho béisbol
d. historia en la universidad
e. español, italiano, francés y un poco de inglés
f. en una librería
g. música clásica
h. la televisión
i. en el mar
j. una pizza

Segunda fase. Now write a complete sentence using each pair from the **Primera fase** and the following personal pronoun(s) as the subject. The first one is done for you.

1. Tú _escuchas música clásica_____.

2. Nosotras _____.

3. Yo _____.

4. Ella y yo _____.

5. Tú y él _____.

6. Yo _____.

7. Tú y yo _____.

8. Ella y él_____.

9. Él _____.

10. Yo _____.

2-23 Fuera de lugar. Circle the letter corresponding to the word that does not fit in each group.

1. a. baloncesto   b. francés   c. italiano   d. vietnamés

2. a. tenis   b. mercadotecnia   c. natación   d. fútbol

3. a. ingeniería   b. derecho   c. mañana   d. historia

4. a. trabajar   b. practicar   c. estudiar   d. mucho

5. a. portugués   b. coreano   c. examen   d. español

6. a. arte   b. derecho   c. geografía   d. béisbol

¡ASÍ LO HACEMOS!

Estructuras

5. The present tense of regular *-ar* verbs

2-24 ¿Qué hacen? Complete each sentence with the correct form of the verb in parentheses.

1. Nosotros (caminar) _____Caminiamos_____ por las tardes.

2. Los estudiantes (preparar) _____preparian_____ la lección.

3. ¿ (trabajar) _____trabajas_____ tú mucho?

4. Las señoritas (nadar) _____nadian_____ bien.

5. Alejandro y yo (practicar) _____practiciamos_____ mucho el fútbol.

6. ¿Qué (mirar) _____miran_____ ellos?

7. Ana y Federico (bailar) _____bailan_____ muy mal.

8. Los amigos (conversar) _____conversan_____ en el café.

9. Amalia y Laura (estudiar) _____estudian_____ mercadotecnia.

10. Yo (escuchar) _____escucha_____ música popular.

2-25 ¡Muy ocupados! Alejandro and his friends are all very busy. Tell what they are doing by writing in the correct form of a logical **-ar** verb. Read the entire paragraph before beginning.

Alejandro y Adán (1) _practican_ tenis por las tardes. Andrés no

(2) _partica_ tenis; él (3) _estudia_ historia

por la tarde. Carmen (4) _nada_ en el mar con Susana. Ellas

(5) _nadan_ mucho. Yo no (6) _nado_ en el mar; yo

(7) _camino_ en el parque con mi amigo. Anita

(8) _bila_ mucho, especialmente el merengue y la salsa.

2-26 El preguntón. Imagine that you have a friend who constantly asks you questions. Answer each question in Spanish with a complete sentence.

1. ¿Trabajas? ¿Dónde trabajas?

_____

2. ¿Qué idiomas habla tu (*your*) padre? (*my* = mi)

_____

3. ¿Practican español mucho tú y los estudiantes en la clase?

_____

4. ¿Con quién caminas todos los días?

_____

6. The present of *tener* and *tener* expresssions

2-27 Tener. Complete each statement with the correct form of **tener**.

1. Tú _____ veintidós años.

2. Él y yo _____ que estudiar esta noche.

3. Carlos y Adela _____ dos clases esta tarde.

4. Usted _____ mucha hambre, ¿no?

5. Nosotras _____ que hablar con María.

6. Yo _____ miedo cuando miro programas de horror.

2-28 Asociaciones. Complete each sentence with the corresponding **tener** expression from page 68 of your textbook, based on each clue in parentheses.

MODELO: Yo __tengo miedo_____. (un programa de horror)

1. Yo _____. (un refresco)

2. Nosotros _____. (un suéter)

3. Los chicos _____. (un fantasma)

4. Tú _____. (una hamburguesa)

5. La señora _____. (mucho tráfico)

6. La bebé _____. (una siesta)

2-29 Responsabilidades. List three things you have to do tomorrow and three things other people have to do.

MODELO: *Yo tengo que estudiar.*

1. Yo _____.

2. Yo _____.

3. Yo _____.

4. Mis padres_____.

5. Mi amigo _____.

6. El/La profesor/a _____.

2-30 Montserrat. Complete the following descriptions with the correct form of the verb in parentheses.

Yo (1) _____ (ser) amigo de Montserrat Pons Roy. Ella (2) _____ (ser) de

Barcelona. Ella (3) _____ (tener) veinte años y (4) _____ (estudiar) en la

Universidad de Barcelona. Montserrat (5) _____ (tener) novio. Él se llama Juan

Berenguer Castells. Juan (6) _____ (ser) de Barcelona también. Juan y Montserrat

(7) _____ (estudiar) derecho. Ellos (8) _____ (practicar) el tenis cuando

Juan no (9) _____ (tener) que trabajar. ¿(10) _____ (Tener) tú que trabajar

hoy?

TALLER

2-31 La vida de Marisol.

Primera fase. Read the description of Marisol, and then answer the questions.

Marisol es una estudiante muy buena en la Universidad de Navarra. Es de Bilbao. Tiene veinte años y es inteligente y muy trabajadora. Habla tres idiomas—español, inglés y francés. Estudia derecho en la universidad y participa en muchas otras actividades. Nada por las tardes y también practica el fútbol. Hoy tiene que estudiar mucho porque tiene un examen de derecho mañana. Ella también tiene una clase de francés. No hay muchos estudiantes en la clase, solamente nueve—tres españoles, dos chilenos, un italiano, dos portugueses y ella. La profesora es española y es muy simpática. Siempre prepara bien la lección para la clase.

1. ¿Quién es Marisol? _____

2. ¿Dónde estudia? ¿Qué estudia? _____

3. ¿En qué actividades participa Marisol? _____

4. ¿Cuántos estudiantes hay en la clase de francés? _____

5. ¿Cuáles son las nacionalidades de los estudiantes y de Marisol? _____

6. ¿Cómo es la profesora de francés? _____

7. ¿Cuántos años tiene Marisol? _____

8. ¿Qué tiene que hacer Marisol hoy?_____

Segunda fase. Now use the questions from the **Primera fase** as models for questions to interview a classmate. Write at least five questions that you can ask. Interview a classmate. Try to complete student information card for him/her with the information you obtain.

1. _____

2. _____

3. _____

4. _____

5. _____

Nombre: _____ Apellido: _____

Nacionalidad: _____ Edad (*age*): _____

Ciudad: _____ País: _____

Concentración (*major*): _____

Clases: _____ _____

_____ _____

_____ _____

_____ _____

2-32 Tu vida universitaria. Using the description in Activity 2–31 as a model, write a brief paragraph about yourself and your life in school. Be sure to include your age, description, activities, and responsibilities. First fill in the necessary information for your student identification card.

Nombre: _____ Apellido: _____

Nacionalidad: _____ Edad (*age*): _____

Ciudad: _____ País: _____

Descripción Física:_____

_____

_____

_____

_____

_____

_____

_____

_____

_____

2-33 La Universidad de Salamanca. Use the Internet or library resources to find information about the University of Salamanca or another university in Spain. Look for and jot down information in the following categories. What aspects of the university interest you?

LA HISTORIA

the founders and year established   _____

famous students and professors   _____

_____

LOS EDIFICIOS Y LA ARQUITECTURA

historical buildings/architecture   _____

_____

new facilities   _____

_____

CURSOS Y PROGRAMAS

_____   _____

_____   _____

_____   _____

_____   _____

_____   _____

2-34 Más allá de las páginas. Altamira. Ana Florencia meets her contact outside the caves of Altamira, which are prehistoric caves that contain animal paintings. In years past, tourists were free to come and visit the caves without much complication, but due to damage caused by visits, the number of visitors is strictly limited now. Look up information on the caves on the Internet or through your library. Write a brief summary of the importance of the caves, a description of the art in the caves, and the damage the caves have suffered.

_____

_____

_____

_____

_____

_____

_____

_____

LECCIÓN 3
¿Qué estudias?

PRIMERA PARTE

¡Así es la vida!

3-1 ¿Recuerdas? Reread the conversations on page 79 of your textbook and answer the questions with complete sentences in Spanish.

1. ¿Qué tiene Luis ya?

   _____

2. ¿Cuáles son las materias que va a tomar Alberto?

   _____

3. ¿Qué profesor da (*gives*) mucha tarea?

   _____

4. ¿Por qué no va a tomar Luis la clase de inglés?

   _____

5. ¿Qué tarea tienen que hacer Luisa y Carmen?

   _____

6. ¿A qué hora es la clase de biología?

   _____

7. ¿A qué hora es la clase de francés?

   _____

8. ¿Cómo se llama el profesor de francés?

   _____

¡ASÍ LO DECIMOS!

3-2 Mis clases. Tonya always talks about her classes. Complete each of these statements she makes with the corresponding word from the list. Make any changes that are necessary.

bastante   biblioteca   computadora   curso   diccionario
generalmente   gimnasio   materia   tarea   todo

1. _____ mis clases son por la mañana.

2. Compré tres _____ para mi clase de inglés.

3. El _____ de álgebra es fácil.

4. Necesito una _____ para mi clase de informática.

5. Siempre tengo mucha _____ de cálculo.

6. Tengo que sacar unos libros de la _____.

7. Economía es una _____ difícil para mí.

8. Voy al _____ a hacer ejercicios después de clase.

3-3 El horario de Pedro Arturo. Complete the following passages with the words that appear on the list below. Make any changes that are necessary.

bailar   complicado   exigente   generalmente   gimnasio   inteligente
materias   nadar   solamente   tarea   todo   tomar

Pedro Arturo Ruiseño es un estudiante muy (1) _____, pero tiene un horario muy

(2) _____, porque (3) _____ muchas (4) _____.

(5) _____, tiene clases los lunes, miércoles y viernes. El martes (6) _____

tiene una clase. (7) _____ los días, Pedro Arturo tiene que hacer muchas

(8) _____ porque sus profesores son muy (9) _____. Los fines de semana

no tiene clases. Va al (10) _____ a hacer ejercicios y también

(11) _____ en el mar y (12) _____ en la discoteca con su novia Rebeca.

3-4 Tu horario. Complete the chart to show your class schedule for this semester.

NOMBRE: _____					FECHA: _____				
	9 A.M.	10 A.M.	11 A.M.	12 A.M.	1 P.M.	2 P.M.	3 P.M.	4 P.M.	5 P.M.	6 P.M.
lun.										
mar.										
miér.										
jue.										
vier.										

3-5 ¿Qué clase tienen? Use the cues in parentheses and follow the model to tell what classes these people have.

MODELO: A las diez y cinco, Andrés estudia la relación entre Cortés y Moctezuma y los conflictos entre los españoles y los aztecas.
Andrés tiene una clase de historia.

1. A la una y cuarto, estudiamos fórmulas y ecuaciones como $2a+b = x-y/z$.

   _____

2. A las siete y veinticinco de la noche, estudias programas e idiomas de la computadora, como Java.

   _____

3. A las tres y cuarto, estudio la construcción de un puente (*bridge*).

   _____

4. A las nueve menos cinco, Paco estudia instrumentos y ritmos de varias culturas.

   _____

5. A las doce y media, Sofía estudia carbonos óxidos, dióxidos (*carbon monoxides, dioxides*), etcétera.

   _____

6. A las once y cuarto, mis amigos estudian el dinero, los precios (*prices*) de productos nacionales y el mercado (*market*) del país.

   _____

7. A las cuatro y cuarto, yo estudio las novelas de Carlos Fuentes y otros novelistas mexicanos.

   _____

8. A las siete menos diez, Andrés estudia la clasificación de animales y plantas.

¡ASÍ LO HACEMOS!

Estructuras

1. Numbers 101–1.000.000

3-6 La benefactora. One of the richest ladies in the world has given a number of items to the university. Spell out the numbers for each item in Spanish. Remember to watch agreement.

1. 601 _____ calculadoras

2. 202 _____ escritorios

3. 101 _____ mapas

4. 124 _____ relojes

5. 10.212 _____ diccionarios

6. 1.500.000 _____ libros

7. 1.216 _____ pupitres

8. 799 _____ computadoras

9. 10.001 _____ pizarras

10. 1.000 _____ luces

3-7 Los viajes. Read the advertisement, then answer the questions about it in Spanish.

1. ¿Cuándo son las salidas (*departures*)?

   _____

2. ¿De dónde son las salidas?

   _____

3. ¿Cuánto cuesta el viaje a Nueva York y a Orlando?

   _____

4. ¿Cuánto cuesta el viaje a Nueva York y a San Francisco?

   _____

5. ¿Cuántas ciudades hay en el viaje de Florida Maravillosa?

   _____

6. ¿De cuántos días es el viaje de Ilusiones del Este?

   _____

7. ¿Cuál es el viaje más caro?

_____

8. ¿En qué meses son los viajes?

_____

3-8 La Loto. Answer the following questions in Spanish based on the information provided.

LA LOTO		Escrutinio	
28 de mayo		**Acertantes**	**Pesos**
Combinación ganadora:	6	1	4.256.090
2 17 25 35 37 48	5+c	4	447.056
	5	101	7.082
Complementario: **31** Reintegro **7**	4	6.775	167
	3	123.439	22

1. ¿Cuál es la fecha del sorteo?

_____

2. ¿Cuál es la combinación ganadora (*winning*)?

_____

3. ¿Cuántos pesos gana (*wins*) el único acertante (*winner*)?

_____

4. ¿Cuántos acertantes tienen todos los números?

_____

5. ¿Cuántos acertantes hay con cuatro números?

_____

6. ¿Cuántos pesos gana cada uno (*each one*) de los acertantes que tienen tres números?

_____

2. Possessive adjectives

3-9 ¿De quién son estos objetos? Identify to whom these objects belong so that they can be returned to their owners.

MODELO: ¿De quién es la mochila? (Sara)
          La mochila es de Sara.
          Es su mochila.

1. ¿De quién es el bolígrafo verde? (el profesor)

   _____

   _____

2. ¿De quién es el libro grande? (Ana y Sofía)

   _____

   _____

3. ¿De quién es la mochila? (Evangelina)

   _____

   _____

4. ¿De quién son los lápices morados? (Alberto)

   _____

   _____

5. ¿De quién es el cuaderno? (el chico)

   _____

   _____

6. ¿De quién son los diccionarios? (él)

   _____

   _____

7. ¿De quién es la calculadora? (usted)

   _____

   _____

8. ¿De quién es el horario de clases? (ustedes)

_____

_____

9. ¿De quiénes son los microscopios? (las estudiantes de biología)

_____

_____

10. ¿De quién son los papeles? (la profesora)

_____

_____

3-10 ¿Es tu. . . ? Roberto is trying to return several objects to their owners but never gets it quite right. Write the answer to each of his questions negatively, then give him the correct answer.

MODELO: ¿Son tus libros? (Esteban)
          No, no son mis libros. Son los libros de Esteban.

1. ¿Es tu diccionario? (el estudiante de francés)

_____

2. ¿Son de ustedes los bolígrafos? (tu amigo)

_____

3. ¿Son sus libros, señor? (José Antonio)

_____

4. ¿Es de ustedes la clase? (los estudiantes argentinos)

_____

5. ¿Es tu calculadora? (Paco)

_____

6. ¿Son tus lápices? (mis padres)

_____

7. ¿Es su profesora, Juan y Ana? (María Cristina)

_____

8. ¿Es tu borrador? (la chica dominicana)

_____

3-11 Mis amigos. Complete David's description of his friends with the correct form in Spanish of the possessive adjective in parentheses.

(1) _____Nuestros_____ (Our) amigos José y María asisten a (2) _____nuestra_____ (our) universidad.

(3) _____Sus_____ (Their) horarios son diferentes. María tiene cuatro clases.

(4) _____Sus_____ (Her) clases son matemáticas, informática, biología y química.

(5) _____Sus_____ (Her) clases favoritas son química y biología porque

(6) _____Sus_____ (her) profesores no son muy exigentes. José tiene cuatro materias también.

(7) _____Sus_____ (His) materias son literatura, francés, música y psicología.

(8) _____Su_____ (His) materia favorita es música. José y María tienen muchos amigos.

(9) _____Sus_____ (Their) amigos son (10) _____mis_____ (my) amigos también. ¿Cómo son

(11) _____tus_____ (your) amigos? ¿Vas a ser (12) _____mi_____ (my) amigo/a, ¿verdad?

3. The present tense of *ir* and *hacer*

3-12 ¿Adónde van? Complete each sentence with the correct form of *ir* to show where each person is going.

1. Bebo _____va_____ a la universidad.

2. Susana y yo _____vamos_____ a la librería.

3. Yo _____voy_____ a la biblioteca.

4. Los estudiantes _____van_____ a la cafetería.

5. La profesora _____va_____ al gimnasio.

6. Beto y Maribel _____van_____ la Facultad de Idiomas.

7. ¿Tú _____vas_____ a una fiesta?

8. María Amalia y tú (ir) _____van_____ a la discoteca el sábado.

3-13 Mañana. Ana thinks these activities are happening today, but you know they will all take place tomorrow. Correct each of her statements.

MODELO: Estrella estudia hoy.
         No, ella va a estudiar mañana.

1. Bernardo practica el béisbol hoy.

   _____

2. Necesito mi calculadora hoy.

   _____

3. Vamos al concierto esta noche.

   _____

4. Elena conversa con sus amigos esta tarde.

   _____

5. Nuestros padres llegan tarde esta noche.

   _____

6. Tú y Cheo van al gimnasio.

   _____

3-14 ¿Qué va a hacer? For each sentence given, write a logical related statement. Use phrases from the following list to form your sentences.

MODELO: Tenemos mucha hambre.
          Vamos a comer a la cafetería.

ir al gimnasio   ir a dormir la siesta
ir a comer a la cafetería   ir a estudiar en la biblioteca
ir a una fiesta   ir beber agua mineral

1. Pepe tiene mucha sed.

   _____

2. Carlos y Juan están muy cansados.

   _____

3. Laura y Virgilio están muy aburridos.

   _____

4. Yo tengo un examen mañana.

   _____

5. Tú tienes que hacer ejercicios.

   _____

3-15 En la residencia estudiantil. Complete the description of what the students do at their dorm with the correct form of **hacer**.

Mis amigas y yo vivimos en la residencia estudiantil de nuestra universidad y nosotras

(1) ___hacemos___ muchas cosas todo el día. Por la mañana, yo (2) ___hago___

ejercicios en el gimnasio y mi amiga Elisa (3) ___hace___ su tarea. Por la tarde mis otras

amigas Marta y Mirta (4) ___hacen___ su trabajo. Por la noche, ellas (5) ___hacen___

la comida y siempre (6) ___hacen___ hamburguesas. ¿Qué (7) ___haces___ tú en la

residencia estudiantil? ¿Qué vas a (8) ___hacer___ este fin de semana?

SEGUNDA PARTE

¡Así es la vida!

3-16 ¿Cierto o falso? Reread the conversations on page 93 of your textbook and indicate if each statement is **cierto (C)** or **falso (F)**. If a statement is false, write the correction in the space provided.

C   F   1. Son las once y media de la noche.

_____

C   F   2. Ana Rosa y Carmen hablan en clase.

_____

C   F   3. La Facultad de Matemáticas está a la izquierda de la Rectoría.

_____

C   F   4. Carmen necesita terminar una novela para la clase de literatura.

_____

C   F   5. Carmen está leyendo una novela de Hemingway.

_____

C   F   6. La novela es larga y difícil.

_____

C   F   7. La especialidad de Marisa es química.

_____

C   F   8. Marisa vive cerca de la universidad.

_____

C   F   9. Carmen va a la librería con Ana Rosa.

_____

C   F   10. Ana Rosa bebe un refresco antes de ir a la biblioteca.

_____

¡ASÍ LO DECIMOS!

3-17 La universidad. Some new students on campus need help finding their classes. Answer their questions based on the campus map and following the model.

MODELO: ¿Dónde es la clase de anatomía?
Es en la Facultad de Medicina que (that) está al frente de la cafetería.

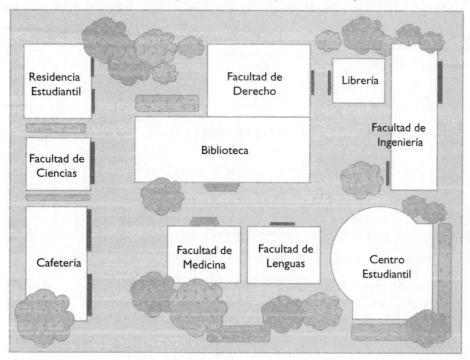

1. ¿Dónde es la clase de derecho?

   _____

   _____

2. ¿Dónde es la clase de ingeniería?

   _____

   _____

3. ¿Dónde es la clase de alemán?

   _____

   _____

4. ¿Dónde es la clase de química?

   _____

   _____

3-18 ¡Fuera de lugar! Circle the letter corresponding to the word or expression that does not fit in each group.

1. a. biblioteca
    b. jugo
    c. leche
    d. refresco

2. a. ensalada
    b. hamburguesa
    c. sándwich
    d. librería

3. a. Facultad de Arte
    b. almuerzo
    c. Rectoría
    d. residencia estudiantil

4. a. enfrente
    b. mientras
    c. al lado
    d. delante

3-19 Consejos. Imagine that your friends have a tendency to bring their problems to you. Use the ideas below to write appropriate advice for each problem. Begin each sentence with **Es necesario** or **Hay que**.

preparar un almuerzo magnífico	beber mucho jugo
asistir a una clase de francés	leer muy bien la novela
comprar un diccionario de español	ir a la Facultad de Ciencias

1. Creo que estoy enfermo. Tengo calor y mucha sed.

   _____

2. Tengo un examen difícil en la clase de literatura.

   _____

3. Mis amigos tienen mucha hambre.

   _____

4. Tenemos que hablar con la profesora de química.

   _____

5. Tenemos interés en hablar otra lengua.

   _____

6. Tenemos que escribir una composición para la clase de español.

   _____

¡ASÍ LO HACEMOS!

Estructuras

4. The present tense of *estar* and the present progressive

3-20 ¿Cómo están? Describe the probable feelings or conditions of each person using **estar** and one of the adjectives below. Remember to watch agreement.

aburrido	apurado	cansado	enfadado
enfermo	ocupado	perdido	triste

1. ¡Son las dos y diez y mi clase es a las dos y cuarto!

   Yo _____.

2. Tienen que leer una novela, escribir una composición y estudiar para un examen.

   Ellos _____.

3. No estudiamos más. Es medianoche.

   Nosotros *estamos cansado,* _____.

4. El profesor de historia habla y habla y habla. No es interesante.

   Nosotros *estamos aburrido.* _____.

5. El perro (*dog*) de Benito está muerto (*dead*).

   Benito *esta ~~enfermo~~, triste* _____.

6. Tú llegas muy tarde a casa sin (*without*) telefonear.

   Tus padres *estan enfermo.* _____.

7. Mi novia no está bien. Va al hospital.

   Ella *esta perdido* _____.

8. Victor no sabe (*know*) dónde está la biblioteca.

   Él *esta perdido* _____.

3-21 ¡Apenas puedes estudiar! You've tried to study in your house, but there's too much noise. Describe what each person in the drawing is doing using the following expressions in the present progressive.

aprender a cantar
comer hamburguesas
escribir una carta
escuchar música
hablar por teléfono

hacer ejercicios
mirar la televisión
preparar el almuerzo
servir unos refrescos
tocar la guitarra

1. Ana _____.

2. Margarita _____.

3. Pepe _____.

4. Clara _____.

5. Felipe _____.

6. Marta _____.

7. Chonín _____.

8. Olga _____.

9. Alfredo _____.

10. Esteban _____.

3-22 En el teléfono. Complete the phone conversation between Alfredo and Teresa with the correct form of **estar**.

ALFREDO: ¡Hola Teresa! ¿Cómo (1) _____estas_____?

TERESA: (2) _____estoy_____ bien, gracias, ¿y tú?

ALFREDO: (3) _____ bien también. Oye, ¿dónde (4) _____ Alcibiades?

TERESA: Él (5) _____esta_____ en su casa porque (6) _____ muy ocupado.

ALFREDO: Y, ¿dónde (7) _____ Rafaela y Sandra?

TERESA: Ellas (8) _____estan_____ enfermas. Pero ahora yo (9) _____estoy_____ preocupada.

           No sé (know) dónde (10) _____esta_____ mi novio.

ALFREDO: ¿Tu novio? ¿Pedro? Ay, Teresa. . . Pues el (11) _____esta_____ en un concierto en

           un teatro que (12) _____esta_____ cerca de aquí. Él (13) _____esta_____ con

           Viviana Benavides.

TERESA: ¡Con Viviana Benavides! ¡Mañana va a (14) _____esta_____ muerto!

3-23 Una conversación por teléfono. Felipe is thinking about his family and calls to see what everyone is doing. His mother picks up the phone and answers all his questions. Using the present progressive and the cues in parentheses, write her answers in the spaces provided. The first one has been done for you.

FELIPE: ¡Hola, mamá! ¿Qué estás haciendo?

MAMÁ: (preparar la comida) _Estoy preparando la comida._

FELIPE: ¿Y Alberto?

MAMÁ: (1. jugar al fútbol) _El Estás jugando al fútbol._

FELIPE: ¿Y Belinda y Felo?

MAMÁ: (2. dormir la siesta) _Están dormiendo la siesta._

FELIPE: ¿Y Érica?

MAMÁ: (3. servir los refrescos) _Ella Esta sirviendo los refrescos_

FELIPE: ¿Y mi perro?

MAMÁ: (4. comer) _Esta comiendo_

FELIPE: Bueno, hasta pronto, mamá.

MAMÁ: Adiós, hijo.

5. Summary of *ser* vs. *estar*

3-24 Mi pequeño mundo. Complete the descriptions of the following people with the correct forms of **ser** or **estar**.

1. Mi novio ____es____ alto y delgado. _____ ecuatoriano, pero ahora

   _____ en los EE. UU. _____ un chico muy trabajador.

   _____ trabajando en una librería esta tarde. Él _____ contento aquí

   porque toda la familia _____ aquí también.

2. Mis primas _____ bonitas, pero esta noche _____ más bonitas

   porque van a una fiesta con sus novios. La fiesta _____ a las nueve.

   _____ las ocho ahora y ellas _____ muy contentas. La fiesta

   _____ en casa de una amiga.

3. Mis padres _____ fantásticos. Ellos _____ amables y aún

   (still) _____ enamorados. Su aniversario _____ mañana. Ellos

   _____ muy trabajadores. Mi madre _____ abogada y mi padre

   _____ profesor. Yo _____ muy contenta con mis padres.

3-25 Vicente. Complete Vicente's description with the correct forms of **ser** or **estar**.

—¡Hola! ¿Cómo te llamas? ¿De dónde (1) ____eres____?

—Me llamo Vicente Bernardo Balvuena Estévez. (2) ____Yo soy____ mexicano, pero mis padres

(3) ____son____ venezolanos. Ellos (4) ____estan____ de Mérida, Venezuela, pero

ahora todos nosotros (5) ____estamos____ en la Ciudad de México que (6) ____es____

la capital del país y una ciudad muy bonita. La Ciudad de México (7) ____es____ muy

grande. En la capital voy a muchos conciertos que (8) ____son____ divertidos. Esta noche

voy a ir al concierto de Mongo Clipper. El concierto (9) ____es____ a las diez de la noche.

(10) ____Esta____ en el teatro que (11) ____esta____ cerca de mi casa. Voy con un

amigo porque mi novia (12) ____esta____ enferma.

3-26 Entrevista. Answer these questions about yourself and your family by using the correct form of **ser** or **estar**.

MODELO: tú
             ¿enfermo/a?
             Sí, estoy enfermo/a. (or) No, no estoy enfermo/a.

tu papá / mamá / hijo/a

1. ¿de los EE.UU.? _____

2. ¿en la universidad ahora? _____

3. ¿grande? _____

4. ¿trabajando? _____

tú

5. ¿una buena persona? _____

6. ¿listo/a? _____

7. ¿listo/a para ir al cine? _____

8. ¿estudiando? _____

9. ¿alto/a? _____

ustedes (tú y tus padres / hijos)

10. ¿españoles? _____

11. ¿en casa? _____

12. ¿enfermos? _____

3-27 ¡A escribir! Write complete questions using the words in parentheses and the correct form of **ser** or **estar**. Follow the model.

MODELO: ¿tu familia? (española)
             ¿Es española tu familia?

1. ¿tu amiga Viviana? (vieja) _____

2. ¿tus amigos Pedro y Pablo? (enfermos) _____

3. ¿tú? (contento) _____

4. ¿tus amigos? (listos para ir a la biblioteca) _____

5. ¿tu profesora de francés? (alta) _____

6. ¿tu madre? (abogada) _____

7. ¿tu perro? (alegre) _____

6. The present tense of regular *-er* and *-ir* verbs

3-28 Mis amigas. Complete the description of friends with the correct form of the verb in parentheses.

Mis amigas Bárbara, Isabel y Victoria (1) ___vivan___ (vivir) en la residencia estudiantil. Ellas (2) ___aprendan___ (aprender) inglés en la universidad y (3) ___asistan___ (asistir) a clase por la mañana. Isabel y Bárbara (4) ___escriban___ (escribir) inglés muy bien, pero Victoria no (5) ___lee___ (leer) inglés muy bien. Yo (6) ___creo___ (creer) que ella (7) ___debe___ (deber) estudiar más. Al mediodía, cuando (8) ___abre___ (abrir) la cafetería, ellas (9) ___comen___ (comer) allí. Yo también (10) ___como___ (comer) con ellas en la cafetería. Victoria y yo solamente (11) ___comemos___ (comer) ensalada y (12) ___bebemos___ (beber) jugo. Isabel y Bárbara (13) ___comen___ (comer) hamburguesas y (14) ___beben___ (beber) agua mineral. Mis amigas (15) ___creen___ (creer) que es bueno ir al gimnasio después del almuerzo, pero yo (16) ___creo___ (creer) que es mejor tomar una siesta. Y tú, ¿dónde (17) ___vives___ (vivir)?

3-29 Actividades. Everyone is busy today. Describe what each person is doing with the correct form of each verb in parentheses.

1. Adela (asistir) _____ a la clase de francés mientras yo

   (escribir) _____ una composición.

2. Mis padres (leer) _____ un libro mientras mi hermanita

   (aprender) _____ a bailar.

3. Yo (comer) _____ una ensalada mientras tú

   (beber) _____ un refresco.

4. Mi novio (abrir) _____ la puerta de la biblioteca mientras nosotros

   (leer) _____ un libro.

3-30 Preguntas y respuestas. Here are some questions a new friend asks you. Complete each question with the correct form of the verb in parentheses, and then answer it.

1. ¿Qué (aprender) _____ en la universidad?

   _____

2. ¿A qué hora (abrir) _____ el centro estudiantil?

   _____

3. ¿Qué (beber) _____ con el almuerzo?

   _____

4. ¿Qué (deber) _____ hacer por la tarde?

   _____

5. ¿Qué (leer) _____ en la clase de inglés?

   _____

6. ¿ (creer) _____ que es bueno dar un paseo después del almuerzo?

   _____

7. ¿Qué (hacer)_____ hoy por la noche?

   _____

8. ¿A qué clases (asistir)_____ hoy?

   _____

TALLER

3-31 Una conversación entre amigos

Primera fase. Alejandro and Tomás are at their favorite café. Read their conversation, and then answer the questions.

ALEJANDRO: ¡Hola, Tomás! ¿Qué hay?

TOMÁS: Pues estoy aquí porque estoy muerto de cansancio. ¡Hoy no estudio más!

ALEJANDRO: Chico, ¿por qué estás cansado?

TOMÁS: ¡Ay! Tengo que trabajar en el centro estudiantil hoy y mañana, tengo que escribir una composición para la clase de literatura, necesito estudiar para un examen de química, y el cumpleaños de mi novia es el jueves. Hay una fiesta para ella en mi apartamento el viernes y hay que preparar todo. . .

ALEJANDRO: ¡Tranquilo, hombre! Soy tu amigo y no estoy ocupado esta semana. Voy a ayudarte (*help you*). ¿Qué necesitas?

TOMÁS: Hay que preparar comida y comprar refrescos para la fiesta.

ALEJANDRO: Está bien. Yo hago eso.

TOMÁS: ¡Muchísimas gracias! ¡Tú sí eres mi amigo!

1. ¿Cómo está Tomás?

_____

2. ¿Cuándo trabaja Tomás?

_____

3. ¿Para qué clase tiene que escribir una composición?

_____

4. ¿En qué clase tiene examen?

_____

5. ¿Qué hay en el apartamento de Tomás el viernes? ¿Por qué?

_____

6. ¿Cómo va a ayudar Alejandro a Tomás?

_____

Segunda fase. Based on the conversation and questions from the **Primera fase**, write at least four questions you can use to ask a classmate when you see him/her on campus. Then, use the questions to guide a conversation in Spanish between you and one of the classmates from your Spanish class. Make sure you find out information about all of the following. If you cannot interview a classmate, write a conversation in Spanish that you might have with a classmate.

- mood/feelings today
- classes and class times today
- schedule (today, this weekend, etc.)
- homework and exams

1. _____

_____

2. _____

_____

3. _____

_____

4. _____

_____

3-32   México

Primera fase. Mexican culture and cuisine have been influential in many areas. Interview four U.S. or Canadian students to find out how much they know about Mexico. Use the following chart to guide and record your interviews.

	ESTUDIANTE 1	ESTUDIANTE 2	ESTUDIANTE 3	ESTUDIANTE 4
Platos (*dishes*) populares				
La capital				
El presidente				
Grupos políticos				
Geografía				
Grupos indígenas				
Artistas famosos				
Escritores (*writers*) famosos				
¿. . .?				
¿. . .?				
¿. . .?				

Segunda fase. Now, interview a Hispanic student or professor in your community. If possible, interview someone who is from Mexico. Form questions based on the kind of information you gathered in the **Primera fase**. Ask for information about schools and universities in Mexico as well. Jot down the information he/she gives you and compare it with the information from the **Primera fase**. How well do students at your university seem to know Mexico?

MODELO: ¿Quién es el presidente de México?
¿Cómo es la geografía de México?
¿Cómo son las universidades de México?

_____

_____

_____

_____

_____

_____

3-33 Más allá de las páginas: Comala, Colima. Ana Florencia goes to Comala, a town in the small state of Colima below Jalisco. Read the following information about the area. Choose one topic to research on the Internet or through library sources (find specific names, additional facts, images, etc.), and prepare a brief summary in English or Spanish for the class.

- Comala is the name of the town used by novelist Juan Rulfo in one of his famous novels.
- In the state of Colima, there are two volcanoes, one active, and one dormant. The active volcano is considered the most dangerous in Mexico, due to potential for eruption within the next fifty years, and due to its proximity to inhabited areas.
- The area around both volcanoes is part of a large protected habitat for wildcats.

LECCIÓN 4
¿Cómo es tu familia?

PRIMERA PARTE

¡Así es la vida!

4-1 ¿Recuerdas? Answer the questions in Spanish using complete sentences according to the e-mail on page 119 of your textbook.

1. ¿De quién recibe un correo electrónico Juan Antonio?

   _____

2. ¿De dónde son Juan Antonio y Ana María?

   _____

3. ¿Con quién está Ana María ahora?

   _____

4. ¿Qué son los padres de Ana María?

   _____

5. ¿Cuántos hermanos tiene Ana María y cómo se llaman?

   _____

6. ¿Cuántos años tienen?

   _____

7. ¿Quiénes son Julia y Rosendo?

   _____

8. ¿Quién es Pedrito?

   _____

9. ¿Cómo es él?

   _____

10. ¿Cuándo regresa Ana María a la universidad?

   _____

¡ASÍ LO DECIMOS!

4-2 Tu familia. Describe your family relationships by completing each sentence with a word from **¡Así lo decimos!**

1. El padre de mi padre es mi ___el abuelo___.

2. La hermana de mi madre es mi ___la tía.___.

3. El esposo de mi hermana es mi ___el cuñado.___.

4. Los hijos de mi hermana son mis ___los sobrinos___.

5. La madre de mi esposo es mi ___la suegra___.

6. Las hijas de mi tío son mis ___las primas.___.

7. La esposa de mi hijo es mi ___Nuera.___.

8. El hijo de mis padres es mi ___el hermano.___.

9. Los padres de mi madre son mis ___los abuelos___.

10. El esposo de mi hija es mi ___yerno___.

4-3 Preguntas personales. Your roommate wants to know more about your family. Answer his/her questions in Spanish.

1. ¿De dónde son tus abuelos?

    Mis abuelos son de Île Maurice.

2. ¿Viven tus abuelos cerca o lejos de tu casa?

    Mis abuelos viven lejos de mi casa.

3. ¿Tienes hermanos o hermanas? ¿Son mayores o menores?

    No, No tengo hermano. Si, Tengo tres hermanas.

4. ¿Tienes muchos primos?

    _____

5. ¿Cómo son ellos?

    _____

6. ¿Cuántas tías tienes?

    _____

7. ¿Quién es el miembro favorito de tu familia?

    _____

8. ¿Cuál de los miembros de la familia es majadero?

    _____

¡ASÍ LO HACEMOS!

Estructuras

1. The present tense of stem-changing verbs: *e→ie, e→i, o→ue*

4-4 ¡A escoger! Explain what's going on at your home by combining elements from these three columns.

nosotros	conseguir	la comida
nuestros abuelos	jugar	con ser jóvenes
mis tías	querer	con sus cuñadas
mi prima	preferir hablar	ir a una discoteca
yo	servir	nuestros primos
mi hermana y su novio	soñar	refrescos

1. ~~Nosotros estamos~~ consigamosla comida.
2. Nuestros abuelos ~~estamos~~ jugamos con ser jóvenes.
3. Mis tías ~~estan~~ quieren con sus cuñada
4. Mi prima prefiere hablando ir a una disoteca.
5. Yo sirvo ~~Nuestros primos~~ refrescos
6. _____

4-5 Nuestra familia. Fill in the blanks with the correct form of the verb in parentheses.

1. Cuando yo (almorzar) __almuerzo__ en la cafetería, yo (conseguir) __consigo__

   una hamburguesa y un refresco por un dólar.

2. Mi hermana (poder) __puede__ jugar bien al tenis pero mi hermano no

   (jugar) __juega__ bien.

3. Mi tío siempre (dormir) __dueme__ por la tarde, pero mi tía no

   (entender) __entiende__ por qué.

4. Mis primas (servir) __sirve__ bocadillos cuando mis abuelos

   (venir) __vinen__ a casa.

5. Yo (soler) __suelo__ perder la paciencia cuando (reñir) __riño__ con mi novio.

4-6 Tu familia. Answer these questions about your family with complete sentences.

1. ¿Tienes muchos hermanos?

_____

2. ¿Vienen ellos a la universidad?

_____

3. ¿Riñes mucho con ellos?

_____

4. ¿Piensas visitar a tu familia pronto? ¿Cuándo?

_____

5. ¿Entienden tus padres español?

_____

6. Generalmente, ¿donde almuerzan tus padres?

_____

7. ¿Con qué sueñan ellos?

_____

8. ¿Qué prefieres hacer con tu familia, tener una fiesta o conversar?

_____

4-7 Un día en la vida de Tomás. What does Tomás do on a typical day? Complete the description with the correct form of each verb in parentheses.

Todos los días, Tomás (1) ___tiene___ (tener) que asistir a tres clases. La primera clase

(2) ___empieza___ (empezar) a las ocho de la mañana y, a esa hora, Tomás está cansado.

Cuando (3) ___puede___ ,(poder) (4) ___prefiere___ (preferir) dormir y

(5) ___duerme___ (dormir) hasta muy tarde. A las once y media,

(6) ___almuerza___ (almorzar). Casi siempre (7) ___pide___ (pedir) una hamburguesa

en el centro estudiantil. Según Tomás, el centro (8) ___sirve___ (servir) las mejores

hamburguesas del mundo. A las dos, (9) ___vuelve___ (volver) a su residencia

y (10) ___comienze___ (comenzar) a estudiar. (11) ___quiere___ (querer) salir,

pero estudiar es muy importante. A las cuatro (12) ___juega___ (jugar) baloncesto

con unos amigos. Él (13) ___piensa___ (pensar) que juega bien, pero sus amigos

(14) ___dicen___ (decir) que no. Después, cena en la cafetería porque

(15) ___piense___ (pensar) que la comida es bastante buena ahí. Finalmente, a las ocho

termina su día.

juega = /hoo·ega/

2. Formal commands

4-8 El pariente sargento. You have a relative who takes over your house the few times he visits. Complete the orders he gives you. Use the correct singular formal command of the verb in parentheses.

1. No (dormir) _____ toda la mañana.

2. (Sacar) _____ al perro por la mañana.

3. (Leer) _____ el libro de español.

4. (Estudiar) _____ la lección antes de ir a clase.

5. (Empezar) _____ a hacer la tarea.

6. No (poner) _____ el cuaderno sobre la mesa.

7. No (almorzar) _____ en la cafetería.

8. (Preparar) _____ su almuerzo en casa.

9. (Ir) _____ al gimnasio antes de almorzar.

10. (Hacer) _____ mucho ejercicio.

11. No (volver) _____ tarde del gimnasio.

12. (Almorzar) _____ poco.

13. No (beber) _____ refrescos en el almuerzo.

14. (Cerrar) _____ la puerta antes de salir.

15. (Llegar) _____ temprano de la universidad.

16. (Buscar) _____ a su hermano por la tarde.

17. (Estar) _____ aquí a las cuatro.

18. No (jugar) _____ al béisbol hoy.

19. No (salir) _____ con sus amigos por la noche.

20. (Seguir) _____ todas mis instrucciones.

4-9 En el laboratorio. You work in the biochemistry laboratory as an assistant and your professor is giving you instructions about what to do. Use the **usted** command form of the verbs in parentheses.

1. (Estar) _____ a las ocho en el laboratorio.

2. (Traer) _____ el microscopio.

3. (Abrir) _____ el libro.

4. (Leer) _____ las instrucciones.

5. (Seguir) _____ las instrucciones.

6. (Mirar) _____ por el microscopio.

7. (Hacer) _____ la fórmula.

8. (Ir) _____ a la pizarra.

9. (Escribir) _____ el resultado en la pizarra.

10. (Terminar) _____ el experimento.

11. (Salir) _____ del laboratorio.

12. (Volver) _____ mañana por la mañana.

4-10 Rosalía y Felipe. Rosalía and Felipe are about to get married. Here is what don Pepe, Rosalía's grandfather, advises them in order to have a successful marriage. Use the **ustedes** command form of the verbs in parentheses.

1. (Vivir) _____ el presente, pero (pensar) _____ en el futuro.

2. (Hablar) _____ de deportes, pero no (conversar) _____ de política.

3. (Comer) _____ poco y (dormir) _____ ocho horas todos los días.

4. (Trabajar) _____ mucho y (comprar) _____ poco.

5. (Discutir) _____, pero no (reñir) _____.

6. (Querer) _____ a sus suegros, pero no (vivir) _____ con ellos.

7. (Recordar) _____ y (seguir) _____ mis consejos.

4-11 Polos opuestos. Your aunt and uncle are opposite in many ways. You ask them questions, and they cannot agree about the instructions they give you. Follow the model.

MODELO: ¿Traemos los refrescos?
          —Sí, traigan los refrescos.
          —No, no traigan los refrescos

1. ¿Preparamos la comida?

   _____

   _____

2. ¿Cerramos la puerta?

   _____

   _____

3. ¿Abrimos las ventanas?

   _____

   _____

4. ¿Conversamos con nuestros primos?

   _____

   _____

5. ¿Jugamos al tenis con nuestras primas?

   _____

   _____

6. ¿Comemos a las ocho de la noche?

   _____

   _____

7. ¿Vemos el partido por televisión?

   _____

   _____

8. ¿Leemos la novela?

   _____

   _____

SEGUNDA PARTE

¡Así es la vida!

4-12 Una invitación. Complete the sentences according to the dialog on page 135 of your textbook.

1. Raúl llama a Laura para ver si

   _____.

2. El cine se llama

   _____.

3. En el cine están presentando

   _____.

4. La película se llama

   _____.

5. Laura le pregunta a Raúl

   _____.

6. La película comienza

   _____.

7. Raúl pasa por Laura

   _____.

8. Raúl invita

   _____.

¡ASÍ LO DECIMOS!

4-13 Más invitaciones. Laura and Raúl had a wonderful time at the movies and have decided to see each other again. Using the dialog on page 135 of your textbook as a model, write a brief conversation to suit the following situation.

Laura calls Raúl and invites him to go dancing at the new club La Bamba. He says he would love to and asks her what time she's coming by for him. She answers at 8:15, and then they say good-bye.

_____

_____

_____

_____

_____

_____

_____

_____

_____

_____

_____

4-14 Unas preguntas. Complete each conversation with a response from the following list.

Sí, me encantaría.	A las seis.	Muy bien, mi cielo
Sí, claro.	Muchas gracias.	En casa, mi vida.

1. ¿Puedes ir al cine esta noche? _____

2. ¿A qué hora pasas por mí? _____

3. ¡Qué bonita estás! _____

4. ¿Vamos al concierto esta noche? _____

5. ¿Cómo estás, cariño? _____

6. ¿Donde estás, mi amor? _____

¡ASÍ LO HACEMOS!

Estructuras

3. Direct object, the personal *a*, and direct object pronouns.

4-15 El fin de semana. Complete the descriptions of weekend plans with the personal **a** when needed.

1. Esteban va a ver _____ Jorge y _____ Gustavo.

2. Llevo _____ mis hermanos a dar un paseo.

3. Vemos _____ la película en el cine.

4. Invito _____ Daniel a pasear por el centro.

5. Edmundo tiene _____ amigos peruanos y va a visitarlos.

6. Marta y tú llevan _____ los refrescos a una fiesta.

7. Ana compra _____ las entradas para asistir a un partido.

8. Vamos a invitar _____ nuestros tíos a ir a la playa.

9. Eduardo y Mario llaman por teléfono _____ sus amigos.

10. Mi mamá va a visitar _____ un museo.

4-16 ¡A completar! Complete each sentence with the direct object pronoun that corresponds to the first subject.

MODELO: Nosotros debemos esperar aquí porque tu madre __*nos*__ busca.

1. Yo no puedo ir al centro porque mis padres _____*me*_____ necesitan.

2. Tú llamas a María pero ella no _____*te*_____ llama.

3. Marta y Gisela viven lejos, pero yo siempre _____*las*_____ visito.

4. Yo hablo con mi hermano, pero él no _____*me*_____ escucha.

5. Ustedes miran a las chicas correr por el parque, pero ellas no _____*los*_____ ven.

6. Ella te quiere mucho, pero tú no _____*la*_____ quieres.

7. Carlos y Adrián buscan a Marisa para conversar en un café, pero ella no _____*los*_____ busca.

8. Él quiere a su novia pero ella no _____*lo*_____ quiere a él.

4-17 Rolando redundante. Rolando tends to be redundant, repeating unnecessary information. Rephrase each of his second sentences using a direct object pronoun.

1. Yo tengo tres primos. Yo llamo a mis primos todos los días.

   _____

2. Tus abuelos son divertidos. Mi tía visita a tus abuelos mucho.

   _____

3. Bebemos muchos refrescos en casa. Mi madrastra compra refrescos.

   _____

4. Los padres de mi padrastro viven cerca. Mi padrastro invita a sus padres a comer en casa todos

   los viernes.

   _____

5. Tu coche es muy grande. Tu cuñado necesita tu coche esta semana.

   _____

6. Creo que éstos son el libro y la novela de sus sobrinos. Sus sobrinos buscan su libro y su novela.

   _____

7. Tu mapa tiene mucha información. Nuestra sobrina mira tu mapa.

   _____

8. Necesitan una hamburguesa y dos sándwiches para el almuerzo. Su madrina prepara una

   hamburguesa y dos sándwiches.

   _____

9. Hay dos cámaras en la mesa. El esposo busca dos cámaras.

   _____

10. Las nueras llegan mañana. Sus suegros invitan a sus nueras a la fiesta.

   _____

4-18 Los planes. You and a friend are planning a day trip deciding who to invite and what to bring. Answer the questions, based on the cue in parentheses.

MODELO: ¿Necesitamos los libros? (no)
   —*No, no los necesitamos.*

1. ¿Invitamos a las chicas? (sí)
   Sí, las invitamos.

2. ¿Llamamos al profesor? (no)
   No, no lo llamamos.

3. ¿Preparamos la comida? (sí)
   Sí, la preparamos.

4. ¿Hacemos los sándwiches? (sí)
   Sí, los hacemos.

5. ¿Vamos a comprar los refrescos? (sí)
   Sí, los vamos a comprar.

6. ¿Necesitamos agua? (no)
   No, no la necesitamos.

7. ¿Vamos a usar el coche? (sí)
   Sí, lo vamos a usar.

8. ¿Compramos las entradas hoy? (no)
   No, no las compramos.

9. ¿Necesitamos llevar una cámara? (no)
   No, no la necesitamos llevar una cámara

10. ¿Buscamos a tu hermano? (no)
    No, no lo buscamos a tu hermano.

4-19 El vecino (*neighbor*). Your neighbor is a busybody and wants to know what everyone in your family is doing. Answer each question by using the progressive form of the verb and the pronoun of the direct object.

MODELO: ¿Prepara tu hermana el sándwich?
Sí, mi hermana está preparándolo.

1. ¿Miran la televisión tus padres?

_____

2. ¿Lee la novela tu hermana?

_____

3. ¿Beben refrescos tus hermanos?

_____

4. ¿Come el sándwich tu abuelo?

_____

5. ¿Escribe la carta tu prima?

_____

6. ¿Toca la guitarra tu tío?

_____

7. ¿Sirve los refrescos tu abuela?

_____

8. ¿Escuchan música tus hermanas?

_____

4. *Saber* and *conocer*

4-20 Unas preguntas. Imagine that you and your friend are discussing your common acquaintances. Complete some of the questions with the correct forms of **saber** and **conocer**. Then answer the questions.

1. ¿ _____Conoces_____ (tú) bien a mis primas?

   _____Sí, yo las conozco_____

2. ¿ _____Sabes_____ (tú) dónde viven exactamente?

   _____Sí, yo sabo dónde vi._____

3. ¿ _____Conoces_____ (tú) también a mis tíos?

   _____

4. ¿ _____Sabe_____ mi tía que tú eres mi amigo/a?

   _____No, mi tía no sabe._____

5. ¿ _____Saben_____ (ellas) cuándo es la reunión de toda la familia?

   _____Sí, ellas saben._____

4-21 Más información. Your friend wants to know more about your cousins. Complete each question with the correct form of **saber** or **conocer**.

1. ¿ _____ ellas jugar al vólibol?

2. ¿ _____ ellas a toda tu familia también?

3. ¿ _____ bailar bien Marcela?

4. ¿ _____ (ellas) a tus padres también?

5. ¿ _____ (tú) si ellos visitan a sus padres en diciembre?

6. ¿ _____ (ellas) que yo estudio español?

7. ¿ _____ Anita que tu vives en la residencia estudiantil?

8. ¿ _____ (tú) al novio de Anita?

9. ¿ _____ Carmen hablar francés?

10. ¿ _____ (tú) a mis tíos?

4-22 Una conversación. Complete the following conversation two friends are having about a new student with the correct form of **saber** or **conocer**.

— ¿ (1) _____ al estudiante nuevo? ¿(2) _____ cómo se llama?

— No (3) _____ cómo se llama pero (4) _____ que su apodo

es Macho Camacho.

— ¿ (5) _____ si Macho habla español?

— Sí, (6) _____ que habla español.

— ¿ (7) _____ dónde vive?

—Yo no (8) _____ dónde vive, pero mi hermano Paco

(9) _____ que vive cerca de la universidad.

—Y ¿ Paco (10) _____ a Macho?

— Sí, Paco (11) _____ a Macho y también (12) _____ a su

novia. Yo no (13) _____ a la novia de Macho, pero

(14) _____ que se llama Remedios.

— ¿ (15) _____ tú a Remedios?

— No, yo no (16) _____ a Remedios.

— Bueno, hasta luego. Tengo que estudiar.

— Adiós.

TALLER

4-23 La familia

Primera fase. Write at least eight questions in Spanish that you can use to find out about someone's family.

MODELO: *¿Estás casado/a?*
          ¿Cuántos hijos/hermanos tienes?

_____

_____

_____

_____

_____

_____

_____

_____

Segunda fase. Interview a Spanish-speaking student, professor, or other community member about his/her family. Use the questions you wrote in the **Primera fase** and jot down the information you learn.

MODELO: TÚ: *¿Estás casado?*
          ENTREVISTADO/A: *Sí, estoy casado y tengo hijos.*
          TÚ: *¿Cuántos hijos tienes?*

_____

_____

_____

_____

_____

_____

_____

_____

Tercera fase. Use the information from the **Segunda fase** to write a brief paragraph about the family of the person you interviewed.

MODELO: *Eduardo tiene una familia muy interesante y grande. . .*

_____

_____

_____

_____

_____

_____

4-24 Rigoberta Menchú. Select and research one of the following topics related to Rigoberta Menchú. Use the Internet or library resources and prepare a brief presentation in English or Spanish to present to the class. The presentation can be visual (a poster with images and captions), a report, a summary, etc.

- Rigoberta Menchú and her family have strong ties, some of which were formed through very difficult and sad years. Find out more about Rigoberta's childhood family, the problems they faced and how they influenced her life, and her current family.
- Rigoberta Menchú is almost always found wearing traditional woven goods from Guatemala. Find out more about this tradition, the dyeing and weaving processes, and the people who continue the tradition.
- Rigoberta Menchú worked with a writer to produce a very important book about the plight of many indigenous Guatemalans. Find out more about the book, how it was produced, the information and messages presented, etc.

4-25 Más allá de las páginas. Ana Florencia visits a man who lives in a rural place of Guatemala. He seems to distrust her at first. People in remote areas often have little confidence in strangers. The remoteness can help preserve ancient traditions, but it can also result in economic, political, and medical difficulties. Find out more about rural areas of Hispanic countries, difficulties in reaching some of these areas, and the advantages and disadvantages of the isolation of some of the villages.

LECCIÓN 5

¿Cómo pasas el día?

PRIMERA PARTE

¡Así es la vida!

5-1 ¿Recuerdas? Reread the conversations on page 157 of your textbook, and answer the following questions with complete sentences in Spanish.

1. ¿Cuántos hijos tiene la familia Pérez Zamora?

   _____

2. ¿Quién es el mayor de los hijos?

   _____

3. ¿Por qué la señora Pérez les pide ayuda a sus hijos?

   _____

4. ¿Por qué todos tienen que trabajar?

   _____

5. ¿Qué tiene que hacer Cristina?

   _____

6. ¿Qué va a hacer Rosa?

   _____

7. ¿De qué son los sándwiches?

   _____

8. ¿Quién va a limpiar la cocina?

   _____

¡ASÍ LO DECIMOS!

5-2 ¡A completar! Fill in each blank with the appropriate word from the list below.

basura	cubo	garaje	libreros	secadora
cuadro	escoba	hierba	sala	sillón

1. Todos prefieren sentarse en el _____ porque es más cómodo.

2. Hay un _____ de ese pintor en la pared.

3. Mi carro está en el _____.

4. Necesito un _____ con agua para lavar el carro.

5. Tú tienes que barrer la _____ hoy.

6. Las novelas están en esos _____.

7. En mi casa yo saco la _____ los jueves.

8. Mañana tenemos que cortar la _____.

9. La ropa está en la _____. Tienes que doblarla.

10. Barro la terraza con una _____.

5-3 Cómo ordenar tu apartamento. You have moved to a new apartment. Give specific orders to the movers regarding where you want your furniture. Follow the model.

MODELO: *Pongan el sillón en la sala contra la pared.*

En la sala:

1. _____

2. _____

3. _____

4. _____

5. _____

En el dormitorio:

6. _____

7. _____

8. _____

9. _____

En el comedor:

10. _____

11. _____

12. _____

13. _____

5-4 ¿Con qué frecuencia haces estos quehaceres? Answer the questions using time words or expressions from **¡Así lo decimos!**

MODELO: ¿Con qué frecuencia cortas la hierba?
          Corto la hierba una vez a la semana.

1. ¿Con qué frecuencia limpias tu cuarto?

   _____

2. ¿Cuándo haces la cama?

   _____

3. ¿Con qué frecuencia lavas la ropa?

   _____

4. ¿Con qué frecuencia pasas la aspiradora?

   _____

5. ¿Con qué frecuencia sacas la basura?

   _____

6. ¿Cuándo barres el pasillo?

   _____

5-5 Casas y apartamentos. Read the advertisement and answer the following questions with complete sentences in Spanish.

Los Arcos
Cariari
4 dormitorios, 3 ba os, garaje, terraza.
Superficie: 1025 m².
Precio venta: 45.000.980 colones.

Santo Domingo de Heredia
(15 minutos de San José)
3 dormitorios, 2 ba os, chimenea, sobre parcela de 15.000 m² con jardines, frutas, vista del valle.
Superficie: 900 m².
Precio venta: 39.265.000 colones.

Parritta
2 dormitorios, 1 ba o, 1 aseo, 2 plantas, piscina, acceso directo a la playa, casa de hu spedes.
Superficie: 820 m².
Precio venta: 39.700.000 colones.

Palo Seco
(cerca de Parritta)
5 dormitorios, 5 ba os, alojamiento de criadas, suite principal, 3 plantas, jacuzzi, piscina, garaje, jardines, acceso directo a la playa.
Superficie: 1575 m².
Precio venta: 144.999.900 colones.

Para su informaci n llame al (506) 222-8989

OFERTA INMOBILIARIA ¥ COSTAMAX   OFERTA INMOBILIARIA ¥ COSTAMAX

1. ¿Cuántas plantas tiene la casa que está en Palo Seco?

   _____

   _____

2. ¿Qué tiene la casa?

   _____

   _____

3. ¿Cuál es más grande, la casa que está en Los Arcos o la casa que está en Santo Domingo de Heredia? ¿Cómo lo sabes?

   _____

   _____

4. ¿Cuál es la casa con más baños?

   _____

   _____

5. ¿Cuáles de las casas tienen garaje?

_____

_____

6. ¿Cuál es la casa más cara de todas y cuánto cuesta?

_____

_____

7. ¿Cuánto vale la casa que está en Paritta?

_____

_____

8. ¿Cuál de las casas quieres comprar y por qué?

_____

_____

¡ASI LO HACEMOS!

Estructuras

1. The verbs *decir* and *dar*, and the indirect object pronouns

5-6 Hoy. Find out what's happening today by using the present of **dar**.

1. El profesor _____ un examen a las nueve.

2. Yo _____ un paseo por el parque.

3. ¿Tú les _____ mucho dinero a tus hijos?

4. Sergio y Virginia _____ una fiesta por la noche.

5. Paco y yo _____ una fiesta por la tarde.

5-9 En la tienda. You are shopping at a store. Explain whom is each gift for.

MODELO: a mi tío / un cubo
               Le doy un cubo a mi tío.

1. a mis primos / una plancha

   _____

2. a tu mamá / una alfombra

   _____

3. a tu papá / una lámpara

   _____

4. a mi primo y su esposa / una secadora

   _____

5. a nuestras hermanas / estéreo

   _____

6. a nuestra profesora / cuadro

   _____

5-7 Los chismosos. Armando and Mario are always spreading rumors. Find out their latest rumor by completing the conversation between Amanda and Juana. Use the present tense of **decir**.

JUANA: Oye, Amanda, Mario y Armando (1) _____ que tú eres la novia de.

Gerardo.

AMANDA: ¿Qué (2) _____ tú , Juana?

JUANA: Yo solamente (*only*) (3) _____ que Mario y Armando

(4) _____ que tú eres la novia de Gerardo.

AMANDA: Y ¿qué (5) _____ ustedes?

JUANA: Nosotros (6) _____ que no es verdad, pero Mario

(7) _____ que tú vas a la playa con Gerardo todos los sábados.

AMANDA: Pues, yo (8) _____ que él no dice la verdad y que es un mentiroso (*li*

5-8 ¡A completar! Fill in each blank with the appropriate indirect object pronoun to match t
indirect object in italics.

1. Mi hermana _____ lava la ropa *a mí*.

2. Ella _____ plancha la ropa *a sus hermanos*.

3. Tú _____ pones la mesa *a tu tío y a tu primo*.

4. Ella _____ habla *a ti*.

5. Mis amigos _____ sacan la basura *a ella*.

6. Yo _____ preparo la cena *a mi novia*.

7. Él _____ barre la terraza *a mi hermana y a mí*.

8. Ustedes _____ hacen la cama *a su madrastra*.

9. Tú _____ quitas la mesas *a tus tíos*.

10. Tú y tu hermano _____ sacuden los muebles *a su cuñada*.

2. The present tense of *poner*, *salir*, *traer*, and *ver*

5-10 Varias situaciones. What do people do on different occasions? Fill in the blanks with the correct form of the indicated verb.

1. **poner**

   Ana y Pepe siempre _____ los libros en la mochila. Yo

   _____ los libros en una bolsa grande. Y tú, ¿dónde

   _____ los libros? Mi amigo Raúl no _____

   los libros en una mochila. ¡Los tiene en el coche!

2. **salir**

   Sandra _____ con Teodoro. Ellos _____ a

   nadar todas las tardes y por la noche _____ a comer en un

   restaurante. Mi vida es más difícil. Yo _____ de la casa a las ocho de

   la mañana y _____ del trabajo a las cinco. Mis amigos y yo sólo

   _____ a los restaurantes los viernes porque son muy caros.

3. **ver**

   ¿Qué _____ tú en la televisión? Mi padre

   _____ los partidos de béisbol y mis hermanos

   _____ los partidos de fútbol. Mi madre y mi hermano

   _____ los anuncios. Yo también _____

   películas.

4. **traer**

   ¿Qué _____ tú para los quehaceres domésticos? Yo

   _____ un cubo y Teresa _____ una

   aspiradora. Quique y Eduardo _____ una escoba.

5-11 Los planes. These friends have plans for the weekend. Fill in each blank with the correct form (conjugated or infinitive) of the most logical verb: **hacer**, **poner**, **salir**, **traer**, or **ver**.

Federico y Timoteo (1) _____ Salen _____ hoy para la playa. Timoteo

(2) _____ trae _____ los sándwiches. Federico (3) _____ Trae _____ los refrescos.

Federico (4) _____ pone _____ todas las cosas en su coche. Piensan

(5) _____ Salir _____ a las tres de la tarde. A las dos y media Timoteo llama a Federico.

TIMOTEO: ¡Hola, Federico! ¿A qué hora (6) _____ Salimos _____ (nosotros)?

FEDERICO: En treinta minutos. Yo (7) _____ pongo _____ mis cosas en el coche ahora.

TIMOTEO: Fede, no es posible (8) _____ Salir _____ a las tres. Necesito

(9) _____ VeR _____ a mi mamá antes de (10) _____ Salir _____.

FEDERICO: ¿A qué hora tienes que (11) _____ VeR _____ a tu mamá?

TIMOTEO: A las tres y cuarto. (12) _____ Salgo _____ (Yo) de mi casa ahora.

FEDERICO: Chico, no hay problema. Tú y yo (13) _____ Salimos _____ a las cuatro. . .

SEGUNDA PARTE

¡Así es la vida!

5-12 ¿Cierto o falso? Reread the descriptions on page 172 of your textbook and indicate whether each statement is **cierto (C)** or **falso (F)**. If a statement is false, write the correction on the space provided.

C   F   1. Los hermanos Castillo son españoles.

_____

C   F   2. A Antonio le gusta dormir tarde.

_____

C   F   3. Todas las mañanas, Antonio se cepilla los dientes después de levantarse.

_____

C   F   4. Antonio les prepara el desayuno a sus hermanos.

_____

C   F   5. A Beatriz le gusta levantarse temprano.

_____

C   F   6. Ella salió de la casa hoy después de maquillarse.

_____

C   F   7. Beatriz se lava la cara.

_____

C   F   8. Enrique es madrugador.

_____

C   F   9. Por las noches, se acuesta muy temprano.

_____

C   F   10. El jefe de Enrique siempre está contento con Enrique.

_____

¡ASÍ LO DECIMOS!

5-13 ¡A completar! Complete each statement with an appropriate word or expression from **¡Así lo decimos!**

1. Para despertarme a tiempo, necesito un _____.

2. Uso _____ para bañarme.

3. Para cepillarme los dientes, necesito un _____.

4. Para cortarme las uñas, uso unas _____.

5. Para pintarme los labios, uso un _____.

6. Antes de salir, me miro en el _____.

7. Para secarme el pelo, uso una _____.

8. Antes de afeitarme, uso una _____.

9. Para pintarme la cara, uso _____.

10. Después de ducharme, uso una _____ para secarme.

5-14 Un poco de lógica. Rearrange each group of sentences in a logical order.

1. Me seco con una toalla. Me preparo el desayuno. Me levanto. Me baño. Me despierto.

   _____

   _____

2. Se viste. Se afeita. Raúl se ducha. Se cepilla el pelo. Se mira en el espejo.

   _____

   _____

3. Mis amigos se quitan la ropa. Se acuestan. Se cepillan los dientes. Se duermen.

   _____

   _____

4. Nos ponemos la ropa. Nosotros nos ponemos la crema de afeitar. Nos lavamos la cara. Nos afeitamos.

   _____

   _____

5-15 ¡Fuera de lugar! In each set of words, circle the word or expression that is out of place.

1. a. acostarse

    b. bañarse

    c. dormirse

    d. despertarse

2. a. la secadora

    b. el peine

    c. los dedos

    d. la máquina de afeitar

3. a. el maquillaje

    b. la pasta de dientes

    c. los dientes

    d. el cepillo

4. a. afeitarse

    b. ducharse

    c. ponerse contento

    d. peinarse

5. a. la secadora

    b. la cara

    c. el lápiz labial

    d. el jabón

6. a. las tijeras

    b. las uñas

    c. los labios

    d. los ojos

¡ASÍ LO HACEMOS!

Estructuras

3. Reflexive constructions: pronouns and verbs

5-16 ¿Qué hacen estas personas por la mañana? Complete the sentences with the appropriate present tense form of the reflexive verbs in parentheses.

1. Ana María (mirarse) _se mira_ en el espejo antes de salir.

2. Nosotros (levantarse) _nos levantamos_ a las siete.

3. Carlos (secarse) _se secar_ con una toalla.

4. ¿Tú (lavarse) _te lavas_ la cara?

5. Mamá (maquillarse) _se maquilla_ .

6. Los niños (bañarse) _se bañan_ a las siete.

7. Yo (ducharse) _me ducho_ después de levantarme.

8. Ana (ponerse) _se pone_ maquillaje.

9. Papá (afeitarse) _se afeita_ con una máquina de afeitar eléctrica.

10. ¿Tú (pintarse) _te pinta_ las uñas por la mañana?

5-17 Por la mañana. Complete the following paragraph with the correct form of the present tense of each verb in parentheses.

Yo (1) _me despierto_ (despertarse) a las siete de la mañana. Después de despertarme,

(2) _me baño_ (bañarse) (3) _me cepillo_ (cepillarse) los dientes, y

(4) _me afeito_ (afeitarse). Yo no (5) _me lavo_ (lavarse) la cara, pero

frecuentemente (6) _me lavo_ (lavarse) la cabeza. Mis hermanas _head_

(7) _se levantan_ (levantarse) más tarde. Mientras Petra (8) _se ducha_ (ducharse),

Paula (9) _se maquilla_ (maquillarse) y (10) _se pinta_ (pintarse) los labios.

Luego todos nosotros (11) _nos reunimos_ (reunirse) en la mesa y

(12) _nos desayunamos_ (desayunarse).

5-18 Mandatos, mandatos. There is a party at your dorm. Just as the party is about to begin, the resident adviser starts giving orders because he wants everything to be perfect. Use the **usted** command of the verbs in parentheses as appropriate.

1. Alicia, (ponerse) _____ el vestido nuevo.

2. Patricio, no (dormirse) _____ .Ya es casi la hora de la fiesta.

3. Magdalena, no (ponerse) _____ nerviosa. Todo está bien.

4. Julio, (afeitarse) _____ ahora mismo.

5. Juan Bruno, no (ponerse) _____ esos zapatos.

6. Camila, (sentarse) _____ y (prepararse) _____ una taza de té.

7. Rosa, (peinarse) _____ .

8. No (enojarse) _____ conmigo, Teresa.

9. Gilberto, (lavarse) _____ las manos antes de cocinar.

10. Rosaura, (quitarse) _____ de allí.

5-19 Preguntas personales. Answer the questions below with complete sentences in Spanish.

1. ¿ Eres magrudador/a? ¿A qué hora te despiertas?

_____

2. ¿Prefieres bañarte o ducharte?

_____

3. ¿Con qué te afeitas?

_____

4. ¿Cuándo te pones perfume o loción?

_____

5. ¿Cuándo te pones impaciente?

_____

6. ¿ Cuándo te alegras y cuándo te pones triste?

_____

7. ¿Cuándo te pones nervioso/a?

_____

8. Generalmente, ¿a qué hora te acuestas?

_____

4. Reciprocal constructions

5-20 Celina y Santiago. Celina and Santiago are madly in love with each other. What does Celina say they do?

MODELO: llamarse por teléfono todos los días
           Nosotros nos llamamos por teléfono todos los días.

1. quererse mucho

_____

2. escribirse poemas todos los días

_____

3. contarse los problemas

_____

4. hablarse antes y después de clase

_____

5. ayudarse con la tarea

_____

6. decirse que se aman

_____

7. besarse mucho

_____

8. tratarse muy bien

_____

5-21 Mis amigos. Complete the narrative about a day you spend with some friends by filling in the blanks with the correct form of the present tense of each verb in parentheses.

Mis amigos y yo (1) _____ (encontrarse) en el centro estudiantil el sábado y

(2) _____ (proponerse) ir a la playa ese día. En la playa nosotros

(3) _____ (sentarse), (4) _____ (decirse) muchas cosas y

(5) _____ (bañarse) en el mar. Luego, (6) _____ (dormirse) y

cuando (7) _____ (despertarse), (8) _____ (bañarse) en el

mar otra vez. Después de llegar a casa (9) _____ (prepararse) unos sándwiches y

(10) _____ (ponerse) ropa para ir a una fiesta. Nosotros

(11) _____ (divertirse) mucho y luego (12) _____ (despedirse)

a la una de la mañana.

5-22 ¡Qué romántico! Jorge and Susana are in love. Tell how they meet by combining the sentences and using reciprocal reflexives.

MODELO: Jorge conoce a Susana en la fiesta. Susana conoce a Jorge en la fiesta.
Susana y Jorge se conocen en la fiesta.

1. Jorge mira a Susana. Susana mira a Jorge.

_____

2. Jorge le sonríe a Susana. Susana le sonríe a Jorge.

_____

3. Susana le dice "Hola" a Jorge y Jorge le dice "Hola" a Susana.

_____

4. Jorge le pide el nombre a Susana. También Susana le pide el nombre a Jorge.

_____

5. Susana le ofrece un refresco a Jorge. Jorge le ofrece un refresco a Susana.

_____

6. Jorge le habla a Susana del trabajo. Ella también le habla del trabajo.

_____

7. Jorge decide llamar a Susana. Susana decide llamar a Jorge también.

_____

8. Jorge invita a Susana al cine. Ella también lo invita al cine.

_____

5-23 El verano. It's summer and you are no longer on campus. Answer these questions about your relationship with your friends.

1. ¿Se escriben a menudo tú y tus amigos?

_____

2. ¿Se cuentan cosas muy personales?

_____

3. ¿Se hablan por teléfono?

_____

4. ¿Se ven a menudo?

_____

5. ¿Se visitan durante el verano?

_____

TALLER

5-24 Las rutinas diarias

Primera fase. Make a list of your typical weekday morning or evening routine. Try to order the activities in numerically and in sequence.

MODELO: orden   actividad   la hora
             1.   *me despierto*   *las seis*
             2.   *me levanto*   *las seis y cuarto*

ORDEN	ACTIVIDAD	LA HORA
1. _____	_____	_____
2. _____	_____	_____
3. _____	_____	_____
4. _____	_____	_____
5. _____	_____	_____
6. _____	_____	_____
7. _____	_____	_____
8. _____	_____	_____
9. _____	_____	_____
10. _____	_____	_____

Segunda fase. Use the information you provided in the **Primera fase** to write a description of your typical morning or evening. Add other details whenever possible.

MODELO: En general, me despierto a las seis de la mañana porque mi primera clase es a las siete y media, pero muchos días no me levanto inmediatamente. Me levanto a las seis y cuarto. Después. . .

_____

_____

_____

_____

_____

_____

_____

_____

5-25 Cantantes. Rubén Blades, Willie Colón, and Adrián Goizueta are Hispanic singers and songwriters whose music often includes socio-political commentary. Use the Internet, library sources, and possibly music stores to look up more information about these artists, their music, and their socio-political concerns. Clips from some of their songs can be found on-line. Find out the following information on each singer.

- país de origen
- tipo de música
- los nombres de canciones y álbumes populares
- su activismo

RUBÉN BLADES

_____

_____

_____

_____

_____

WILLIE COLÓN

_____

_____

_____

_____

ADRIÁN GOIZUETA

_____

_____

_____

_____

5-26 Costa Rica. In an area no larger than the state of West Virginia, Costa Rica is home to 5% of all species of plants and animals that inhabit the earth. That's somewhere between 500,000 and one million species of flora and fauna. One quarter of the country is set aside for national parks and biological reserves. Research an aspect of Costa Rica's natural resources and beauty, and organize the information you find in a chart or on a poster.

- los pájaros (*birds*) de Costa Rica
- las mariposas (*butterflies*) de Costa Rica
- los parques y las reservas biológicas de Costa Rica
- los programas de preservación y protección en Costa Rica
- los bosques tropicales

LECCIÓN 6
¡Buen provecho!

PRIMERA PARTE

¡Así es la vida!

6-1 ¡Buen provecho! Reread the conversations on pages 193 of your textbook and indicate if each statement is **cierto** (**C**) or **falso** (**F**). If a statement is false, write the correction in the space provided.

ESCENA 1

C F   1. Marta no tiene hambre.

_____

C F   2. A Marta le gustan mucho las hamburguesas.

_____

C F   3. Marta quiere ir al restaurante Don Pepe.

_____

C F   4. En el restaurante Don Pepe, no sirven comida hispana.

_____

ESCENA 2

C F   5. El camarero no tiene mucha prisa.

_____

C F   6. Marta no quiere beber nada.

_____

C F   7. Arturo quiere beber un refresco.

_____

C   F   8. La especialidad de la casa son los camarones.

_____

C   F   9. Los camarones son a la parrilla.

_____

C   F   10. A Marta le gustan mucho los camarones.

_____

C   F   11. Arturo pide un bistec y una ensalada.

_____

ESCENA 4

C   F   12. A Arturo no le gustan mucho los camarones.

_____

C   F   13. La comida de Marta está muy buena.

_____

C   F   14. Marta va a recomendarles el restaurante a sus amigos.

_____

C   F   15. Marta quiere volver a este restaurante otra vez.

_____

¡ASI LO DECIMOS!

6-2 En el restaurante. How would you respond to each question or statement below in a restaurant? Choose the best responses from the list and write them on the lines provided.

Enseguida.
¡Están ricas!
La especialidad de la casa son los camarones a la parrilla.
¡Magnífica!
Sí, me muero de hambre.
Solamente la cuenta, por favor.

1. ¡Hola, Ana! ¿Quieres almorzar conmigo?

   _____

2. ¿Qué recomienda usted?

   _____

3. ¿Qué tal está la comida?

   _____

4. ¿Cómo están las chuletas de cerdo?

   _____

5. Camarero, ¿puede usted traernos más vino?

   _____

6. ¿Puedo traerles algo más?

   _____

6-3 En la mesa. Locate fourteen items you might find on your table at a restaurant.

C	L	A	M	E	Z	A	T	C	L	O	S	P	L	I	T	U
A	M	A	N	T	E	Q	U	I	L	L	A	Z	Ú	C	A	R
P	I	M	I	E	N	T	A	T	E	L	L	I	V	R	E	S
A	A	O	E	N	P	L	A	T	O	I	D	T	A	Z	A	E
I	P	N	L	E	T	N	A	M	A	H	D	H	S	X	E	R
T	H	A	F	D	Y	A	S	W	P	C	C	U	O	S	D	V
E	U	I	O	O	T	W	E	E	O	U	V	D	O	Q	O	A
S	E	K	C	R	E	M	A	R	C	C	J	G	I	E	L	P

6-4 Categorías. You are a dietician and an expert on food categories. Write as many different foods and beverages as you can think of for each category.

1. carnes

_____

_____

2. legumbres verdes

_____

_____

3. pescados y mariscos

_____

_____

4. bebidas

_____

_____

5. legumbres redondas

_____

_____

6. frutas rojas

_____

_____

7. frutas pequeñas

_____

_____

8. frutas verdes

_____

_____

6-5 ¿Cómo está la comida? Comment on the quality of the food by using **está** and an adjective to fit each situation.

1. Es un buen restaurante. Toda la comida _____.

2. Es un restaurante muy malo. Toda la comida _____.

3. Camarero, quisiera un bistec bien cocido. Este bistec _____.

4. En este restaurante, las ensaladas son excelentes. Las verduras _____.

5. A mí me gusta la sopa caliente. No me gusta esta sopa porque _____.

6-6 Cuestionario. Your new friend (as always) is curious about your eating habits. Answer her questions with complete sentences in Spanish.

1. ¿A qué hora almuerzas?

   _____

2. ¿Qué comes de almuerzo normalmente?

   _____

3. ¿Dónde cenas?

   _____

4. ¿Desayunas? ¿Qué comes de desayuno?

   _____

5. ¿Cuál es tu plato favorito y por qué?

   _____

¡ASÍ LO HACEMOS!

Estructuras

1. *Gustar* and similar verbs

6-7 ¡A completar! Complete each statement with the correct form of the verb in parentheses and the corresponding indirect object pronoun. Follow the model.

MODELO: A mí *me gustan* los frijoles. (gustar)

1. A nosotros no _Nos quedan_ papas fritas. (quedar)
2. A ti _te fascinan_ las tartas. (fascinar)
3. A ellos _les cae mal_ el camarero. (caer mal)
4. ¿_te interesa_ a ti comer en la cafetería? (interesar)
5. ¿_les parece_ a ellas que el jamón tiene grasa? (parecer)
6. Al señor _le encanta_ la langosta. (encantar)
7. A mí _me molesta_ comer allí. (molestar)
8. A usted _le falta_ el dinero de la propina. (faltar)
9. ¿_le gusta_ a usted el café con leche? (gustar)
10. A mí _me cae bien_ el chef del restaurante. (caer bien)

6-8 Mis opiniones. Complete the following paragraph with the correct form of the verb in parentheses.

A mí me (1) _____ (gustar) muchas comidas pero no me

(2) _____ (gustar) los camarones porque me (3) _____ (caer mal).

¿Te (4) _____ (gustar) los mariscos? A mis amigos les

(5) _____ (fascinar) los mariscos y también les (6) _____ (encantar)

las frutas. ¿Te (7) _____ (gustar) a ti comer en un restaurante? Si quieres ir, te invito

porque tú me (8) _____ (caer) bien.

6-9 Los gustos. Write sentences describing how you feel about the following foods. Include information about why or where, as well as a sentence about how someone you know feels about that food as well.

MODELO: las fresas
A mí me encantan las fresas porque son dulces y deliciosas. Las como en la primavera.
A mi hija, no le gustan las fresas porque les tiene alergia.

1. los tomates _____

_____

2. el pescado _____

_____

3. los huevos _____

_____

4. las zanahorias _____

_____

5. la carne de res _____

_____

6. el arroz _____

_____

7. las peras _____

_____

8. el café _____

_____

2. Double object pronouns

6-10 Una cena horrible. You can hardly believe what your friend is saying. Following the model, express your disbelief by repeating what you were told, using direct and indirect object pronouns.

MODELO: La camarera no les trae el menú.
           ¿Cómo? ¿No se lo trae?

1. La camarera no les repite las especialidades a mis padres.

   _____

2. Ella no les trae las bebidas.

   _____

3. Ella no les consigue la copa de vino.

   _____

4. Ella no les sirve camarones a mis padres.

   _____

5. Ellos no le piden camarones a la camarera.

   _____

6. Ella no les prepara la cuenta.

   _____

7. Ellos no le dan la propina a ella.

   _____

8. Mis padres no le piden la cuenta a la camarera ahora y no van más allí.

   _____

6-11 En el restaurante Los Hermanos. The restaurant **Los Hermanos** has just opened but the two brothers contradict each other when the staff asks questions. Replace all nouns in the sentences below with direct and indirect object pronouns. Use the formal **usted** and **ustedes** commands.

MODELO: ¿Le servimos la comida a la señora?
          Si, sírvansela. / No, no se la sirvan.

1. ¿Les traigo el menú a los turistas ahora?

   Sí, _____.

   No, no _____.

2. ¿Le llevo un tenedor y una cuchara a la señora?

   Sí, _____.

   No, no _____.

3. ¿Le sirvo el pan y la mantequilla al niño?

   Sí, _____.

   No, no _____.

4. ¿Les ponemos sal a las judías?

   Sí, _____.

   No, no _____.

5. ¿Le corto la carne y el pollo al señor y a su señora?

   Si, _____.

   No, no _____.

6. ¿Les lavamos los platos y las tazas al camarero?

   Sí, _____.

   No, no _____.

7. ¿Les buscamos el azúcar y la crema al cliente?

   Sí, _____.

   No, no _____.

8. ¿Le muestro el menú a sus clientes?

   Si, _____.

   No, no _____.

9. ¿Le pido ayuda a la camarera?

Si, _____ .

No, no _____ .

10. ¿Les preparamos el cereal a las niñas?

Si, _____ .

No, no _____ .

6-12 Actividades en el restaurante. Following the model, answer each question affirmatively. Use the corresponding direct and indirect object pronouns.

MODELO: ¿El camarero le está trayendo el menú al señor?
           Sí, se lo está trayendo (está trayéndoselo).

1. ¿La camarera les está llevando los platos a los clientes?

_____

2. ¿Los clientes alemanes les están pidiendo el desayuno a los camareros?

_____

3. ¿Le están preparando el desayuno a Miguel?

_____

4. ¿El camarero te está sirviendo los huevos fritos?

_____

5. ¿Nosotros le estamos pagando la cuenta a nuestro amigo?

_____

6. ¿Nos está trayendo el vino el camarero?

_____

7. ¿La camarera me está poniendo los utensilios en la mesa?

_____

8. ¿El chef nos está haciendo una ensalada de lechuga y tomate?

_____

SEGUNDA PARTE

¡Así es la vida!

6-13 En la cocina. Reread the transcript of tía Julia's cooking show on page 208 of your textbook, and answer the questions with complete sentences in Spanish.

1. ¿Qué les enseñó la tía Julia a los televidentes?

   _____

2. ¿Qué va a cocinar la tía Julia hoy?

   _____

3. ¿Qué hay que cortar? ¿Dónde hay que ponerlo?

   _____

4. ¿Qué se le añade al pollo?

   _____

   _____

5. ¿Qué calienta la tía Julia? ¿En qué recipiente lo calienta?

   _____

6. ¿Cómo cocina el pollo?

   _____

7. ¿Qué le añade al pollo en la cazuela? ¿Por cuántos minutos lo cocina?

   _____

8. ¿Qué otros ingredientes añade? ¿Por cuántos minutos más lo deja cocinar?

   _____

   _____

   _____

   _____

9. ¿Cuál es el último ingrediente que añade? ¿Por cuántos minutos lo deja cocinar?

_____

_____

_____

10. ¿Cómo se sirve el arroz con pollo?

_____

¡ASÍ LO DECIMOS!

6-14 ¡A completar! How well do you know your way around the kitchen? Complete each statement below with a word from **¡Así lo decimos!**

1. Si no tienes lavaplatos, hay que lavar los platos en el _____.

2. Hay que poner el helado en el _____.

3. Si tienes mucha prisa y no puedes usar el horno, puedes usar el _____.

4. Para hacer el café, necesitas usar la _____.

5. Cuando regreso del supermercado, pongo la leche inmediatamente en el _____.

6. Para calentar el agua, pongo la cazuela en la _____.

7. Para freír algo, lo pongo en la _____.

8. La lista de ingredientes y las instrucciones para preparar una comida se llama la

_____.

9. Mezclo los ingredientes de una torta en un _____.

10. Siempre le añado una _____ de sal al arroz.

11. Para preparar tostadas, hay que poner el pan en la _____.

12. Hay que _____ la banana antes de comerla.

6-15 Muchos cocineros. The Spanish Club is having a party and everyone is helping in the kitchen. Complete each sentence describing what people are doing with the present tense of the correct verb from the list.

MODELO: La señora Vidueñas _derrite_____ la mantequilla en la sartén.

añadir   batir   freír   pelar   preparar

1. Ramón y Ñico _____ las papas.

2. La profesora _____ la mezcla con un tenedor grande.

3. Carlos le _____ un poco de limón a la ensalada.

4. Julio y Estrella _____ los sándwiches.

5. Julio y Yolanda _____ los huevos en el recipiente.

   hervir   hornear   picar   prender   tostar

6. Carmen _____ las zanahorias con el cuchillo pequeño.

7. Yo _____ el agua en la estufa.

8. Tú _____ el pan en la tostadora.

9. Jorge y Gerardo _____ la torta a 200 grados centígrados.

10. Tu hermano y tú _____ la estufa.

6-16 Una receta. Write instructions for preparing a simple dish you know. Use the **usted** commands to give instructions.

MODELO: Primero, bata los huevos por cinco minutos. . .

INGREDIENTES

_____

_____

_____

_____

_____

_____

_____

_____

_____

_____

_____

¡ASÍ LO HACEMOS!

Estructuras

3. The preterit of regular verbs

6-17 ¿Qué hicieron en la clase de cocina? Find out what everyone did during a cooking class. Complete each sentence with the correct form of the verbs in parentheses.

1. Alfredo (pelar) _____ las papas.

2. Ana y Silvia (picar) _____ la cebolla.

3. El chef le (echar) _____ sal al pollo.

4. Yo (mezclar) _____ los ingredientes.

5. José (batir) _____ los huevos.

6. Mi hermano (tapar) _____ la cazuela.

7. Carlos y yo (prender) _____ la estufa.

8. Pepito (voltear) _____ la tortilla.

9. Isabel y Enrique (tostar) _____ el pan.

10. Todos nosotros (saborear) _____ la torta.

Nombre: _____ Fecha: _____

6-18 ¿Qué pasó ayer? Find out what happened yesterday. Complete the paragraph with the complete form of the verb in parentheses.

Ayer, yo (1) ___despierte___ (despertarse) tarde y (2) ___decide___ (decidir) ir a

almorzar a un restaurante. (3)___llamé___ (llamar) a mi amiga Silvia y la

(4) ___invité___ (invitar)a almorzar conmigo. Nosotros (5)___llegamos___ (llegar)

al restaurante a la una. Cuando nosotros (6) ___entramos___ (entrar) al restaurante, Silvia le

(7) ___pregunto___ (preguntar) a la camarera por la especialidad de la casa. Ella le

(8) ___respondo___ (responder) "bistec con papas fritas". Silvia y yo

(9) ___ordenamos___ (ordenar) la especialidad de la casa. El cocinero

(10) ___preparo___ (preparar) mi bistec muy bien y yo le (11)___añadimos___ (añadir)

picante. Mi bistec me (12) ___gusto___ (gustar) mucho. Yo (13) ___bebi___ (beber)

un refresco con la comida y Silvia (14) ___tomo___ (tomar) una taza de café con leche.

Nosotros le (15) ___dejamos___ (dejar) una buena propina a la camarera.

6-19 ¡A completar! Complete each paragraph with the correct preterit form of the verb in parentheses.

Carlos y Esteban (1) ___buscaron___ (buscar) un restaurante donde almorzar. Ellos

(2) ___caminaron___ (caminar) mucho y por fin (3) ___encontramos___ (encontrar) un

restaurante. El camarero los (4) ___atendo___ (atender) enseguida. Carlos

(5) ___comió___ (comer) arroz con pollo y Esteban (6) ___comió___ (comer)

arroz con frijoles. Ellos (7) ___salleron___ (salir) del restaurante a las dos y

(8) ___volveron___ (volver) a casa a las tres. ¡Hola, mi amor! ¿Qué

(9) ___cenaste___ (cenar) hoy? ¿(10) ___comiste___ (comer) un plato sabroso? . . .

¿(11) ___esperaste___ (esperar) mucho tiempo? ¿(12) ___pagaste___ (pagar) mucho

por el plato? . . . ¿Cómo? ¿(13) ___saliste___ (salir) sin pagar las cuenta. ¡Ay, mi cielo! Mi

hermana y yo (14) ___llegamos___ (llegar) a nuestra clase de cocina. Mi hermana

(15) ___abrazo___ (abrazar) a la tía Julia, y yo (16) ___comencé___ (comenzar) a

preparar los ingredientes. Yo (17) ___busqué___ (buscar) muchos ingredientes y la tía Julia nos (18) _explicó_ (explicar) muy bien la receta. A nosotros nos

(19) _gustaron_ (gustar) mucho la clase de la tía Julia y le

(20) _regalamos_ (regalar) una botella de vino.

4. *Tú* commands

6-20 Mandatos en la cocina. You are giving your younger brother some tips on how to prepare a good meal. Complete each statement with the **tú** command.

1. (leer) _____ las instrucciones en la receta.

2. (comprar) _____ todos los ingredientes.

3. (lavar) _____ todas las legumbres.

4. (atender) _____ la estufa.

5. (poner) _____ la carne en el horno.

6. (hacer) _____ el flan.

7. No (añadir) _____ más sal.

8. (hervir) _____ las papas.

6-21 Usted es el/la profesor/a de cocina. You are giving a hands-on cooking demonstration. Tell each student what to do by changing each infinitive to the **tú** command.

1. Pedro, (conseguir) _____ los ingredientes.

2. Lolita, (freír) _____ las cebollas en la sartén.

3. Julio, (hornear) _____ el pollo por cuatro horas.

4. Teresa, (pelar) _____ las papas.

5. José, (ir) _____ a buscar los pimientos.

6. Elena, (hacer) _____ la ensalada.

7. Enrique, no le (poner) _____ tanta pimienta a la carne.

8. Josefina, no (hervir) _____ el agua todavía.

9. María, (poner) _____ la mesa.

10. Charo, (probar) _____ la sopa.

6-22 En el Restaurante Rivera. La señora Rivera tells her employees what to do to get ready before the customers arrive. Rewrite each command replacing the direct object noun with a direct object pronoun.

MODELO: Margarita, busca las servilletas.
          Búscalas.

1. Pepe, trae los refrescos. _____.

2. Juan, compra hielo. _____.

3. Pablo, haz el pan. _____.

4. Lupe, calienta la estufa. _____.

5. Toño, atiende a los clientes. _____.

6. Felipe, lava los platos y los utensilios. _____.

7. Alicia, pon los platos en las mesas. _____.

8. Gabriel, sirve el pan y la mantequilla. _____.

9. Mario, muestra el menú. _____.

10. Enriqueta, hornea el flan. _____.

6-23 Preguntas, preguntas. The students in your cooking class have questions for you. Answer them using the **tú** command and replacing the object noun with the direct object pronoun and changing the indirect object pronoun to **se**.

MODELO: ¿Debo añadirle sal a la carne?
          Sí, añádesela.

1. ¿Tengo que leerle la receta a los otros estudiantes?

   Sí, _____.

2. ¿Debo comprarle los ingredientes a usted?

   Sí, _____.

3. ¿Debo echarles cebollas a los camarones?

   Sí, _____.

4. ¿Tengo que ponerle huevos a la torta?

   No, _____.

5. ¿Debo ponerle picante a los frijoles?

   Sí, _____.

6. ¿Tengo que prepararle la salsa picante a la carne de ternera?

   Sí, _____.

7. ¿Tengo que cortarle la cebolla a mi amiga?

   Sí, _____.

8. ¿Debo traerle a usted la espátula?

   No, _____.

9. ¿Debo lavarle los platos a usted?

   Sí, _____.

10. ¿Tengo que servirle la comida a los invitados?

    Sí, _____.

6-24 Actividades en el restaurante. Answer each of the following questions based on the cue and using the present progressive and the direct object pronouns.

MODELO: ¿Quién pone la mesa? (la camarera)
          La camarera está poniéndola.

1. ¿Quién busca los platos? (la camarera)

   _____

2. ¿Quién pide el desayuno? (los clientes)

   _____

3. ¿Quién prepara las ensaladas? (el cocinero)

   _____

4. ¿Quién sirve los huevos fritos? (el camarero)

   _____

5. ¿Quién trae el vino? (el camarero)

   _____

TALLER

6-25 Los anuncios

Primera fase. Read the following restaurant ads and answer the questions.

1. ¿En qué país y ciudad están estos restaurantes?

    _____

2. ¿Qué restaurantes anuncian las especialidades? ¿Cuáles son?

    _____

3. ¿Qué restaurante ofrece platos especiales del día?

    _____

Segunda fase. Now, create your own restaurant ad for a restaurant you know or for an imaginary restaurant you would like to visit. Use Spanish in your ads, and try to include commands that invite clients to come to the restaurant.

6-26 Una receta. Use the Internet and library sources to look up and write down a Chilean recipe or a recipe from another South American country. Try to choose a recipe that sounds interesting to you. If possible, look for the history of the recipe: Was it an indigenous dish? Were the ingredients originally found in the Americas or were they brought in by the Europeans?

INGREDIENTES

_____

_____

_____

_____

INSTRUCCIONES

_____

_____

_____

_____

HISTORIA

_____

_____

_____

_____

6-27 Más allá de las páginas: Odas y manzanas. Pablo Neruda who lived in an agriculturally rich country wrote several **odas** to different fruits and vegetables. Try to find out additional information about Chilean agriculture. Are apples grown in great quantities in Chile? Where are other fruits and vegetables grown and harvested? How much is grown for national consumption, and how much is exported to other countries? Research general information on agriculture, or select a specific topic that interests you. Organize the information in a chart in Spanish if possible.

LECCIÓN 7

¡A divertirnos!

PRIMERA PARTE

¡Así es la vida!

7-1 El fin de semana. Reread the conversations on page 229 of your textbook and complete each statement accordingly.

ESCENA 1

1. El problema de Karen y Ricardo es que no saben _____
   _____.

2. Como quieren información sobre las actividades para este sábado, ellos están
   _____.

3. Una actividad posible es _____.

4. Karen no quiere ir al partido porque _____
   _____.

5. Otra actividad posible es _____.

ESCENA 2

6. En la opinión de Linnette, es un día perfecto para _____ porque
   _____.

7. En Luquillo, Linnette quiere _____.

8. Primero, Scott va a preparar _____ pero luego él decide
   _____.

9. Ricardo va a _____.

10. Van a poner la sombrilla en el coche de Scott porque _____

_____ .

11. El día está _____ .

12. Linnette no ve _____ en el carro.

13. Scott cree que los trajes de baño _____ .

14. Ahora los amigos no _____ .

¡ASÍ LO DECIMOS!

7-2 ¡A completar! Complete each statement with the most appropriate word from the list below.

anuncio   bolsa   cesto
heladera   sombrilla   traje de baño

1. Hace mucho sol, necesito una _____ .

2. Paco quiere nadar en la playa, necesita un _____ .

3. El hielo está en la _____ .

4. Los sándwiches que compré están en el _____ .

5. Las toallas están en la _____ .

7-3 En el teatro. A friend has invited you to the theater tonight. Read the ticket carefully and answer the questions in Spanish.

TEATRO HISPANIOLA	
"DIATRIBA DE AMOR CONTRA UN HOMBRE SENTADO" **TEATRO LIBRE DEL CARIBE** **JUEVES 25 OCTUBRE 01** **HORA: 21:00** **PRECIO: 600 PESOS** **BUTACA** **FILA: 3 ASIENTO: 10**	**TEATRO HISPANIOLA** C/ DE ALBATROS 42 CABARETE, REPÚBLICA DOMINICANA (809) 571-0290 201303549 REF: 1222546051
CAJA DE CABARETE ✦ CAJA DE CABARETE ✦ CAJA DE CABARETE ✦ CAJA DE	

1. ¿Cómo se llama el teatro? _____

2. ¿Cómo se llama la obra teatral? _____

3. ¿Cuál es la dirección del teatro? _____

4. ¿Qué día es la obra? _____

5. ¿A qué hora es? _____

6. ¿Cuánto cuesta el boleto? _____

7. ¿Cuál es el asiento? _____

8. ¿Hay un número de teléfono para el teatro? Si lo hay, ¿cuál es? _____

_____

7-4 ¿Qué tiempo hace? Complete the sentences logically. The first one has been done for you.

1. En diciembre _hace frío y nieva_ .

2. En otoño _hace fresco_ .

3. Cuando voy a la playa _hace calor y sol_ .

4. Necesito otro suéter cuando _hace frío_ .

5. En la primavera _está nevando_ .

6. Cuando hace _sol_ yo _hago calor_ .

7. En el verano _hace buena tiempo_ .

8. Cuando no _hace sol_ yo _tengo frío_ .

7-5 Preguntas y respuestas. Answer the following in complete sentences in Spanish.

1. ¿Qué tiempo hace hoy?

   _____

2. ¿Para qué está ideal el día?

   _____

3. ¿Qué haces si el día está despejado y de pronto (*suddenly*) empieza a llover?

   _____

4. ¿Qué bebes cuando hace mucho frío?

   _____

5. ¿Qué haces cuando hace calor en la playa?

   _____

6. ¿Nieva o llueve en tu ciudad?

   _____

7. ¿En qué estación hace mucho frío?

   _____

8. ¿En qué estación hace mucho calor?

   _____

¡ASÍ LO HACEMOS!

Estructuras

1. Verbs with irregular preterit forms (I)

7-6 ¿Qué hiciste ayer? First complete the questions with the appropriate preterit form of the verbs in parentheses. Then answer the questions with complete sentences in Spanish.

1. ¿Qué (hacer)_____ tú ayer?

   _____

2. ¿Adónde? (ir)_____ con tus amigos?

   _____

3. ¿(tener)_____ que comprar refrescos?

   _____

4. ¿(estar)_____ en la playa?

   _____

5. ¿Con quién (dar)_____ un paseo?

   _____

7-7 ¿Qué pasó? To find out what happened last week, yesterday, and last night, complete each paragraph with the preterit form of the indicated verb.

1. **ir**

   La semana pasada yo ____fui____ a un concierto. Mi novia no

   ____fue____ pero mis amigos ____fueron____ conmigo. Después

   nosotros ____fuimos____ a un restaurante a comer.

2. **tener**

   Ayer nosotros __tuvimos__ que ir a la playa. Yo __tuve__ que

   comprar refrescos y mis hermanas __tuvieron__ que hacer sándwiches. Nosotros

   __tuvimos__ que comprar bolsas y papá también __tuvo__ que

   comprar una sombrilla.

3. **dar**

   Yo le __di__ la sombrilla a mi novia y mis amigos le

   __dieron__ la bolsa. Mi hermano le __dio__ un cesto que

   compró anoche. Todos nosotros le __dimos__ más cosas para llevar a la playa.

4. **hacer**

   ¿__hizole__ buen tiempo ayer? ¿Qué __hiciste__? Nosotros

   __hicimos__ muchas cosas en la playa. Mis hermanas __hicieron__

   mucho ruido (*noise*). Yo no __hice__ las cosas estúpidas que ellas

   __hicieron__.

5. **estar**

   Anoche yo __estuve__ con mis amigos en un restaurante. Nosotros

   __estuvimos__ allí por dos horas. La comida __estuvo__ muy buena y

   nuestros profesores también __estuvieron__ con nosotros en el restaurante. Luego,

   mis amigos y yo __estuvimos__ en casa de mi hermano. ¿En dónde

   __estuviste__ tú anoche?

7-8 Nuestra fiesta. Find out about our party last night. Complete the paragraph with the correct preterit form of the verb in parentheses.

Anoche mi hermano y yo (1)_____di_____ (dar) una fiesta y muchos de nuestros

amigos (2)_____fueron_____ (ir) a la fiesta. Nosotros

(3)_____hicimos_____ (hacer) muchas cosas antes de comenzar la fiesta. Mi hermano

(4)_____hizo_____ (hacer) la comida y yo (5)_____tuvo_____ (tener) que

limpiar la casa. Nuestros amigos Pepe y Paco (6)_____estuvieron_____ (estar) en la fiesta

con sus novias Adela y Anita. Paco (7)_____estuvo_____ (tener) que bailar con Adela

toda la noche. Nosotros (8)_____dimos_____ (dar) mucha comida en la fiesta. La fiesta

(9)_____estuvo_____ (estar) muy buena. ¿(10)_____fuiste_____ (ir) tú a

una fiesta anoche?

2. Indefinite and negative expressions

7-9 Conversaciones. Complete each conversation with appropriate affirmative and negative expressions.

MODELO: ¿Le doy algo de comer a María?
         No, no le des nada de comer.

1. ¿Quieres refrescos o agua mineral para el pícnic?

   No quiero _____ refrescos _____ agua mineral para el pícnic.

2. ¿Deseas tú _____ para llevar al pícnic?

   No, gracias no deseo _____ para llevar al pícnic.

3. ¿Tienes _____ sándwich en el cesto?

   No, no tengo _____.

4. ¿Te preparo _____ de postre para el pícnic?

   No, chico. ¿Por qué no compras _____ pastel.

5. ¿Hay _____ tomando el sol en la playa?

   No, no hay _____ tomando el sol en la playa.

6. ¿Vamos al cine esta noche?

No chico, ¿por qué no hacemos _____ diferente? _____

vamos al cine por la noche.

7. Bueno, ¿qué quieres hacer?

No sé. ¿Vamos a un concierto? _____ vamos a _____ concierto.

7-10 Ana y Paco riñen. Ana and Paco are quarrelling. Ana has a number of complaints against Paco. Play the role of Paco and change Ana's statements from affirmative to negative or vice-versa.

ANA: Tú no me llevas a la playa nunca.

PACO: (1) _Yo siempre te llevo a la playa._

ANA: Tú nunca me das ningún regalo.

PACO: (2) _Yo siempre te doy algun regalo_

ANA: Tú no me llevas ni a la discoteca ni al cine.

PACO: (3) _Yo te llevo o a la discoteca o al cine._

ANA: Tú tampoco me invitas a dar un paseo.

PACO: (4) _Yo tambien te invito a dar un paseo_

ANA: Tú quieres a alguien más que a mí.

PACO: (5) _Yo quiero a nadie más que a mi._

ANA: Tú no me quieres.

PACO: (6) _Yo te quiero._

SEGUNDA PARTE

¡Así es la vida!

7-11 Hablando de deportes. Reread the passages on page 241 of your textbook and indicate whether each statement is **cierto** (**C**) or **falso** (**F**). If a statement is false, write the correction on the space provided.

C   F   1. María Ginebra juega al tenis en el invierno.

_____

C   F   2. Ella nunca nada en el invierno.

_____

C   F   3. La deportista favorita de María es Alejandra Sánchez.

_____

C   F   4. Daniel Betancourt es entrenador de un equipo de béisbol.

_____

C   F   5. A Daniel le caen bien los árbitros.

_____

C   F   6. Leopoldo Soto practica béisbol.

_____

C   F   7. La temporada de la liga de béisbol puertorriqueña es en el verano.

_____

C   F   8. Él no batea mal.

_____

C   F   9. A Alejandra le gusta el tenis.

_____

C   F   10. Alejandra conoció a un boxeador la semana pasada.

_____

¡ASÍ LO DECIMOS!

7-12 Los deportes. Explain the following sports to someone unfamiliar with them by completing each statement with words or expressions from **¡Así lo decimos!**

1. Para jugar al tenis, necesitas una _____ y una _____.

2. Para jugar al béisbol, necesitas un _____ y un _____.

3. Para jugar al baloncesto, necesito un _____.

4. Juego al fútbol en una _____.

5. Cuando hay errores en un partido el _____ del equipo se enoja.

6. Los _____ gritan mucho durante un campeonato.

7. La persona que juega muy bien es la _____.

8. El _____ toma las decisiones.

9. Todos los jugadores forman un _____.

10. Cuando dos equipos _____, ni ganan y ni pierden.

7-13 Asociaciones. Match the word or expression in the right column to the word in the left column.

1. _____ correr   a. no ganar ni perder

2. _____ empatar   b. la natación

3. _____ gritar   c. una bicicleta

4. _____ esquiar   d. el béisbol

5. _____ nadar   e. el atletismo

6. _____ el jardinero   f. el hockey

7. _____ la estrella   g. el/la campeón/ona

8. _____ el ciclismo   h. el/la aficionado/a

9. _____ patinar   i. la raqueta

10. _____ el tenista   j. los esquís

7-14 Crucigrama. Read each description or definition and write the correct word in the corresponding squares.

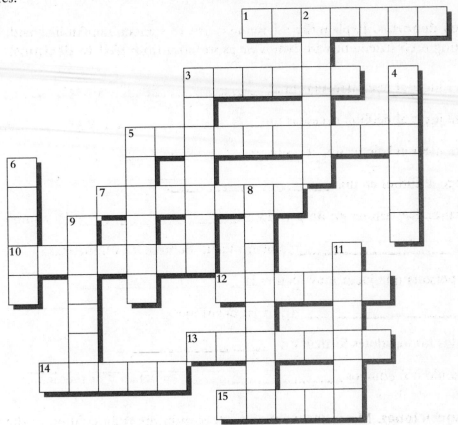

HORIZONTALES

1. los dos equipos tienen el mismo número de puntos
3. una cosa redonda y blanca que se usa para el béisbol
5. la persona que enseña y ayuda a los jugadores
7. las cosas que los beisbolistas se ponen en las manos
10. los Chicago Cubs, los New York Nets, los Green Bay Packers. . .
12. expresarse en voz muy alta
13. cosas grandes y redondas que se usan para el básquetbol
14. palos de madera o de aluminio para el béisbol
15. tener más puntos que el competidor al final del partido

VERTICALES

2. darle a una pelota con el pie
3. zapatos especiales que se usan para patinar
4. ir muy rápido a pie
5. las cosas necesarias para jugar un deporte
6. un deporte entre dos personas que llevan guantes grandes y pantalones cortos
8. una persona muy famosa y popular
9. una serie de acciones en un partido para ganar puntos
11. darle a una pelota con un bate

7-15 ¿Te gustan los deportes? Describe your attitude toward the following sports. Begin each sentence with **Me gusta** or **No me gusta** and give a reason why, using one of the adjectives from the list.

MODELO: el tenis
              Me gusta el tenis porque es muy activo.

aburrido	activo	agresivo	disciplinado	divertido
emocionante	interesante	lento	rápido	violento

1. el básquetbol

_____

2. la natación

_____

3. el ciclismo

_____

4. el hockey

_____

5. el tenis de mesa

_____

6. el esquí

_____

7-16 La liga americana. Look at the standings and answer the following questions.

LIGA AMERICANA				
División Este				
EQUIPOS	**PG**	**PP**	**PROM**	**JV**
x-Toronto Azulejos	95	67	.586	--
Nueva York Yanquis	88	74	.543	7
Baltimore Orioles	88	77	.525	10
Detroit Tigres	85	77	.525	10
Boston Medias Rolas	80	82	.494	15
División Central				
x Chicago Medias Blancas	94	68	.580	--
Kansas City Reales	84	78	.519	10
Cleveland Indios	76	86	.469	18
Minnesota Mellizos	71	91	.438	23
Milwaukee Cerveceros	69	93	.426	25
División Oeste				
x Texas Rancheros	86	76	.531	--
Seattle Marineros	82	80	.506	4
California Angelinos	71	91	.438	15
Oakland Atléticos	68	94	.420	18
x Campeón de división				

1. ¿Cuántas divisiones hay en la liga?

   _____

2. ¿De dónde son los Mellizos?

   _____

3. ¿Qué equipos tienen el mismo promedio?

   _____

4. ¿Cuántos juegos han ganado los Azulejos?

   _____

5. ¿Cuál es el promedio de los Atléticos?

   _____

6. ¿Cuál de estos equipos es tu favorito y por qué?

   _____

¡ASÍ LO HACEMOS!

Estructuras

3. Verbs with irregular preterit forms (II)

7-17 El partido de anoche. Complete the paragraph with the correct preterit form of the verbs in parentheses.

Anoche yo (1)_____Pude_____ (poder) ver jugar a mi equipo favorito, Los Medias Rojas de

Boston y (2)___me puse___ (ponerse) muy contento de verlos. Mis amigos

(3)___Vinieron___ (venir) de otra ciudad para ir al estadio conmigo y ellos

(4)___Trajeron___ (traer) sus guantes. En el partido, nosotros

(5)___Supimos___ (saber) la nacionalidad de la estrella del equipo, Pedro Martínez. Es

dominicano. Un aficionado nos lo (6)___dijimos___ (decir). Yo

(7)___me puse___ (ponerse) muy contento porque Los Medias Rojas ganaron el partido.

¿(8)___Pudiste___ (poder) tú ver el partido también?

7-18 Una carta. Find out what Ramiro says in a letter to his friend by using the correct form of the verb in parentheses.

20 de enero
Querido Rafael:

El mes pasado yo (1)____*fui*____ (ir) de vacaciones a casa de Manuel Vargas en la

República Dominicana. Allí nosotros (2)____*tuvimos*____ (tener) la oportunidad de visitar

muchos lugares de interés. Nosotros (3)____*anduvimos*____ (andar) por la capital, donde yo

(4)____*pudieron*____ (poder) comprar regalos para mi familia. Luego, Manuel y yo

(5)____*fue*____ (ir) a visitar el interior de la isla. Nosotros (6)____*estuvimos*____ (estar)

en la playa de Sosúa. Allí Manuel (7)_____ (buscar) a varios de sus amigos y yo los

(8)_____ (conocer). Al día siguiente nosotros (9)_____ (estar) en la

ciudad de Santiago de los Caballeros. Por la noche, los amigos de Manuel

(10)_____ (venir) a buscarnos para ver un partido de béisbol. El partido

(11)_____ (ser) muy emocionante y Sammy Sosa, la estrella del equipo

dominicano, (12)_____ (jugar) y (13)_____ (batear) muy bien. Los

aficionados (14)_____ (gritar) mucho y (15)_____ (animar)

mucho a su equipo. Yo (16)_____ (querer) conocer a Sammy Sosa, pero no

(17)_____ (poder). Después de estar una semana en Santo Domingo, yo

(18)_____ (venir) para los EE. UU. Ayer le (19)_____ (escribir) a

Manuel y le (20)_____ (dar) las gracias por todo.

Un saludo de

Ramiro

4. Impersonal and passive *se*

7-19 El/La experto/a. Let's see how much you know about sports. Answer the following questions with complete sentences in Spanish.

1. ¿Qué se necesita para jugar al béisbol?

   _____

2. ¿Para qué se usa una raqueta?

   _____

3. En el baloncesto, ¿dónde se pone el balón?

   _____

4. ¿Con qué se juega al vólibol?

   _____

5. ¿Qué se usa para boxear?

   _____

6. ¿Qué se tiene que hacer para ganar un partido?

   _____

7. ¿Qué se puede hacer cuándo el árbitro toma una mala decisión?

   _____

8. ¿Qué se debe hacer para ser una estrella?

   _____

7-20 El entrenador. You are one of the best baseball managers in the league and you want to give tips to your players. Complete the paragraph with the pronoun **se** and the indicated verbs.

(1)_____ (decir) que cuando (2)_____ (jugar) al béisbol,

(3)_____ (tener) que escuchar muy bien al entrenador. Antes de comenzar a batear

(4)_____ (mirar) bien al lanzador y (5)_____ (estudiar) sus

movimientos. Luego (6)_____ (necesitar) un bate bueno,

(7)_____ (tomar) el bate bien y uno se para enfrente del lanzador. Cuando

(8)_____ (lanzar) la pelota, (9)_____ (dar) un golpe (*blow*)

fuerte con el bate y adiós pelota.

7-21 "El Batazo" You go to your favorite restaurant "El Batazo" because you can practice Spanish there. Complete the description of the restaurant with the passive **se** and the correct form of the verbs listed below.

abrir	atender	cerrar	decir
hablar	poder	saber	traer

Me gusta mucho el restaurante "El Batazo." (1)_____ que es muy bueno y

(2)_____ que es barato. En "El Batazo" (3)_____ español y

(4)_____ bien al cliente. Allí (5)_____ ver a los jugadores

cuando van a comer y (6)_____ guantes y bates. "El Batazo"

(7)_____ a las doce del día, y (8)_____ a las doce de la noche.

TALLER

7-22 El fin de semana pasado.

Primera fase. Interview five to six students to find out how they spent last weekend. Fill in the following chart based on your interviews. Remember to ask if they ate out, saw a movie, went shopping, etc. Fill out part of the chart for yourself as well.

ESTUDIANTE	ACTIVIDADES	¿CON QUIÉN?	¿DÓNDE?

ESTUDIANTE	ACTIVIDADES	¿CON QUIÉN?	¿DÓNDE?
TÚ			

Segunda fase. Use the information from the **Primera fase** to write a brief paragraph comparing what you and the other students did last weekend.

MODELO: *Ana, Esteban y Elia fueron a ver una película. Yo no fui al cine, pero salí a cenar en un restaurante muy bueno con unos amigos. . .*

_____

_____

_____

_____

_____

_____

_____

_____

7-23 Los hispanos y los deportes

Primera fase. Many professional athletes in the U.S. are of Hispanic origin, especially in baseball. Select three Hispanic professional athletes and look up information on the Internet and in library resources. **¿Dónde nació? ¿Dónde aprendió a jugar su deporte? ¿Dónde vive ahora?** etc. Make a list in Spanish of information you find.

Nombre: _____

Lugar de nacimiento: _____

Su deporte: _____

El equipo (los equipos): _____

Entrenamiento (*training*): _____

Información miscelánea: _____

Nombre: _____

Lugar de nacimiento: _____

Su deporte: _____

El equipo (los equipos): _____

Entrenamiento (*training*): _____

Información miscelánea: _____

Nombre: _____

Lugar de nacimiento: _____

Su deporte: _____

El equipo (los equipos): _____

Entrenamiento (*training*): _____

Información miscelánea: _____

Segunda fase. Now, choose one of the three athletes you researched in the **Primera fase** and write a brief paragraph in Spanish describing him or her.

_____

_____

_____

_____

_____

_____

_____

_____

_____

_____

7-24 Más allá de las páginas: La herencia indígena y africana. Nicolás Guillén was mulatto, of mixed African and white descent. The current population of the Caribbean islands still reflects strong indigenous and African heritages that have influenced language, music, religion, as well as politics. Select one of the following topics to research on the Internet or in the library. Organize the information you find in an outline or in a brief summary in Spanish.

- la herencia africana en las islas del Caribe
- los taínos (grupo indígena)
- los Siboneyes (grupo indígena)
- los caribes (grupo indígena)

_____

_____

_____

_____

_____

_____

_____

LECCIÓN 8

¿En qué puedo servirle?

PRIMERA PARTE

¡Así es la vida!

8-1 De compras. Reread the texts on page 261 of your textbook and answer the questions with complete sentences in Spanish.

1. ¿Qué hacen Victoria y Manuel en el centro de Lima?

   _____

2. ¿Dónde se encuentra la sección de ropa de mujeres?

   _____

3. ¿Qué le pasó a Victoria con la tarjeta de crédito de su mamá?

   _____

4. ¿Cuál fue el favor que el padre les pidió a sus hijos?

   _____

5. Según Manuel, ¿cómo pagaron sus cuentas del verano él y su hermana?

   _____

6. ¿Para qué va Manuel al cuarto piso?

   _____

7. ¿Por qué va Manuel al Almacén Vigo?

   _____

8. ¿Dónde están las chaquetas? ¿Y las camisas?

   _____

9. ¿Cuál es la talla de Manuel?

   _____

10. ¿Dónde se prueba la camisa? ¿Cómo le queda?

_____

11. ¿Qué problema tiene Manuel?

_____

12. ¿Qué va a hacer el dependiente para ayudar a Manuel?

_____

¡ASÍ LO DECIMOS!

8-2 En el almacén. Read the paragraph about a shopping excursion and complete each statement with the appropriate word or phrase from the list.

abrigo	billetera	bolsa	centro comercial
corbata	de manga corta	gangas	ir de compras
pantalones	par	probador	tarjeta de crédito
venta–liquidación	vestido		

Este fin de semana voy al (1) _____ para (2) _____. Voy a

comprar un (3) _____ azul y un (4) _____ negro. En el

almacén voy a ir al (5) _____ para ver si me queda bien o mal la ropa. También

necesito comprar una (6) _____ para mi padre. Tiene una camisa nueva

(7) _____ y (8) _____ nuevos. También tiene un

(9) _____ de zapatos nuevos. Ahora solamente necesita una

(10) _____ de cuero. El almacén tiene una (11) _____

maravillosa y hoy hay muchas (12) _____. Tengo mi

(13) _____ preparada en mi (14) _____. ¡Adiós!

8-3 ¿Qué ropa llevas? What do you wear in the following situations? Begin each statement with **llevo** and use colors or other adjectives that describe your clothing.

MODELO: _____A clase, _llevo vaqueros y una blusa azul. También llevo sandalias marrones_ .

1. A una celebración familiar, _____

   _____.

2. Al centro estudiantil, _____

   _____.

3. A un partido de básquetbol, _____

   _____.

4. Cuando hace mucho frío, _____

   _____.

5. Cuando hace mucho calor, _____

   _____.

8-4 El/La cliente/a responde. Imagine that you are shopping in a department store and a salesperson asks you the following questions. How do you respond? Write your answers with complete sentences in Spanish.

DEPENDIENTE: Buenas tardes. ¿En qué puedo servirle?

TÚ: (1) _Pudiste servirle con Un abrigo_

DEPENDIENTE: ¿Cuál es su talla?

TÚ: (2) _Mi talla es grande_

DEPENDIENTE: ¿Quiere probárselo en el probador?

TÚ: (3) _Sí, por favor_

DEPENDIENTE: ¿Qué más necesita?

TÚ: (4) _Necisto un sombrero Rojas_

DEPENDIENTE: ¿Cómo desea pagar?

TÚ: (5) _Yo pago con visa._

8-5 El/La cliente/a pregunta. Now imagine that the salesperson answers you. What did you ask? Write the questions.

TÚ:　(1) ¿ _____?

DEPENDIENTE:　La sección de mujeres está a la derecha.

TÚ:　(2) ¿ _____?

DEPENDIENTE:　Las blusas en rebajas están aquí.

TÚ:　(3) ¿ _____?

DEPENDIENTE:　Sí, claro. El probador está aquí.

TÚ:　(4) ¿ _____?

DEPENDIENTE:　Le queda muy bien.

TÚ:　(5) ¿ _____?

DEPENDIENTE:　No, no le queda grande. Está perfecta.

8-6 La ropa. Complete each statement with a logical word from **¡Así lo decimos!**

1. Cuando hace mucho frío, necesito un _____.

2. Cuando hace sol me pongo la _____ de los Medias Rojas de Boston.

3. Yo voy al _____ para pagar por el vestido.

4. Una mujer pone el dinero en la _____.

5. Si los pantalones le quedan muy grandes a alguien, necesita una _____ más

   pequeña.

6. Cuando llueve mucho, necesito un _____.

7. Cuando hace mucho frío y nieva, no llevas sandalias, llevas _____.

8. Cuando hace mucho calor, no llevas una camisa de manga larga, llevas una camisa de

   _____.

9. El algodón es una _____.

10. Cuando da un descuento, la tienda pone los precios en _____.

¡ASÍ LO HACEMOS!

Estructuras

1. The preterit of stem-changing verbs: e→i and o→u

8-7 ¿Qué pasó en el centro comercial? To find out what happened when everyone went shopping yesterday, complete each statement with the correct preterit form of each verb in parentheses.

1. Para llegar al centro comercial yo _seguí_ las instrucciones que me dio papá, pero los chicos _siguieron_ las instrucciones de mi tío, y se perdieron. (seguir)

2. Andrés _prefirió_ comprar unas botas, pero José y yo _preferimos_ los zapatos de tenis. (preferir)

3. Tú no me _repetiste_ el precio, me lo _repitió_ la dependienta. (repetir)

4. En la cafetería, el camarero no _sirvió_ la comida, me la _serví_ yo. (servir)

5. En la tienda de música yo _pedí_ música salsa, y Anita _pidió_ música rock. (pedir)

8-8 ¿Qué pasó en la fiesta? What did everyone do at the party yesterday? Complete each statement with the correct preterit form of each verb in parentheses to find out.

1. María Luisa (servir) _sirvió_ toda la noche.

2. Roberto y yo (preferir) _preferimos_ bailar.

3. Alejandro le (sonreír) _sonrió_ a Concepción.

4. Brígida (pedir) _pidió_ más ensalada.

5. Todos (sentir) _sintió_ la noticia de Rosalía.

6. Tomás le (mentir) _mintió_ a Bartolomé.

7. Ramón y Úrsula (repetir) _repitieron_ la comida tres veces.

8. Después de la fiesta todos (dormir) _durmieron_ mucho.

2. Ordinal numbers

8-9 Números, números. Complete each statement with the ordinal number corresponding to the number in parentheses. Remember to use agreement.

1. Ana prefiere la (5) _____ chaqueta, la verde.

2. La loción de afeitar está en el (4) _____ mostrador.

3. La sección de ropa para hombres está en el (8) _____ piso.

4. ¡Es la (9) _____ tienda en que entramos hoy!

5. El (2) _____ dependiente es al que necesitamos buscar.

6. El (7) _____ probador no está ocupado.

7. Es el (6) _____ par de zapatos que compro hoy.

8. Es la (3) _____ rebaja del año.

9. Los abrigos están en el (10) _____ piso de la tienda.

10. Hoy es el (1) _____ día de rebaja.

Nombre: _____   Fecha: _____

8-10 ¿Dónde está? On which floor of the department store will you find the following items? Complete each statement with the correct information.

Servicios:
Aparcamiento.

Servicios:
Aparcamiento. Carta de compra. Taller de Montaje de accesorios de automóvil. Oficina postal.

Departamentos:
Librería. Papelería. Juegos. Fumador. Mercería. Supermercado de Alimentación. Limpieza.

Servicios:
Estanco. Patrones de moda.

Departamentos:
Complementos de Moda. Bolsos. Marroquinería. Medias. Pañuelos. Sombreros. Bisutería. Relojería. Joyería. Perfumería y Cosmética. Turismo.

Servicios:
Reparación de relojes y joyas. Quiosco de prensa. Óptica 2.000. Información. Servicio de intérpretes. Objetos perdidos. Empaquetado de regalos.

Departamentos:
Hogar Menaje. Artesanía. Cerámica. Cristalería. Cubertería. Accesorios automóvil. Bricolaje. Loza. Orfebrería. Porcelanas. (Lladró, Capodimonte). Platería. Regalos. Vajillas. Saneamiento. Electrodomésticos.

Servicios:
Listas de boda. Reparación de calzado. Plastificación de carnés. Duplicado de llaves. Grabación de objetos.

Departamentos:
Niños/as. (4 a 10 años). Confección. Boutiques. Complementos. Juguetería. **Chicos/as.** (11 a 14 años) Confección. Boutiques. **Bebés.** Confección. Carrocería. Canastillas. Regalos bebé. Zapatería de bebé. **Zapatería.** Señoras, caballeros y niños. **Futura Mamá.**

Servicios:
Estudio fotográfico y realización de retratos.

Departamentos:
Confección de Caballeros. Confección ante y piel. Boutiques. Ropa interior. Sastrería a medida. Artículos de viajes. Complementos de Moda. Zapatería. Tallas especiales.

Servicios:
Servicio al Cliente. Venta a plazos. Solicitudes de tarjetas. Devolución de I.V.A. Peluquería de caballeros. Agencia de viajes y Centro de Seguros.

Departamentos:
Señoras. Confección. Punto. Peletería. Boutiques Internacionales. Lencería y Corsetería. Tallas Especiales. Complementos de Moda. Zapatería. Pronovias.

Servicios:
Peluquería de señoras. Conservación de pieles. Cambio de moneda extrajera.

Departamentos:
Juventud. Confección. Territorio Vaquero. Punto. Boutiques. Complementos de moda. Marcas Internacionales. **Deportes.** Prendas deportivas. Zapatería deportiva. Armería. Complementos.

Servicios:
Creamos Hogar. Post-Venta. Enmarque de cuadros. Realización de retratos.

Departamentos:
Muebles y Decoración. Dormitorios. Salones. Lámparas. Cuadros. **Hogar textil.** Mantelerías. Toallas. Visillos. Tejidos. Muebles de cocina.

Servicios:
Cafetería. Autoservicio "La Rotonda". **Restaurante** "Las Trébedes".

Departamentos:
Oportunidades y Promociones.

ANEXOS

Preciados, 1. Tienda de la Electrónica: Imagen y Sonido. Hi-Fi. Radio. Televisión. Ordenadores. Fotografía.   **Servicios:** Revelado rápido.

Preciados, 2 y 4. Discotienda: Compact Disc. Casetes. Discos. Películas de vídeo.
                                   Servicios: Venta de localidades.

MODELO: Busco una blusa para mi hermana. Voy a la __cuarta__ planta.

1. Necesito comprar un regalo para el bebé de mi hermana. Voy a la _____.

2. Quiero comprar una lámpara. Voy a la _____.

3. Mi reloj no funciona. Lo llevo a la _____.

4. Deseo una corbata para mi papá. Voy a la _____.

5. Necesito unos zapatos de tenis nuevos. Voy a la _____.

6. Me gusta leer y quiero comprar un libro nuevo. Voy al _____.

7. Mi madre quiere comprar toallas. Ella va a la _____.

8. Tengo hambre. Voy a la cafetería en la _____.

9. Necesito unas faldas. Voy a la _____.

10. Quiero conseguir una tarjeta de crédito. Voy a la _____.

SEGUNDA PARTE

¡Así es la vida!

8-11 ¿Qué compraste? Reread the conversation on page 271 of your textbook and answer the questions below with complete sentences in Spanish.

1. ¿Qué está haciendo Victoria?

   _____

2. ¿Quién llama por teléfono a Victoria?

   _____

3. ¿Cuántas veces llamó Lucía a Victoria?

   _____

4. ¿Adónde fue Victoria?

   _____

5. ¿Qué compró Victoria primero?

   _____

6. ¿Qué compró en la joyería?

   _____

7. ¿Por qué fue a la perfumería?

   _____

8. ¿Cuál fue el artículo más caro que compró Victoria?

   _____

9. ¿Cómo pagó Victoria?

   _____

10. ¿Por qué necesita Victoria un vestido elegante?

    _____

¡ASÍ LO DECIMOS!

8-12 ¿Qué compras en estas tiendas? What can you buy in these stores? List as many possibilities as you can.

1. En la droguería compro _____

   _____.

2. En la joyería compro _____

   _____.

3. En la papelería compro _____

   _____.

4. En la zapatería compro _____

   _____.

8-13 Unos regalos. Everyone has a birthday this month. Use words or expressions from **¡Así lo decimos!** to write what you will buy for each person.

MODELO: A mi mamá   _le compro un frasco de perfume_   .

1. A mis hermanas _____.

2. A mi novio _____.

3. A mi papá _____.

4. A mi mejor amigo/a _____.

5. A mi profesor/a de español _____.

6. A mi hermano menor _____.

¡ASÍ LO HACEMOS!

Estructuras

3. Demonstrative adjectives and pronouns

8-14 De compras. You are shopping at a store. Indicate your preferences by completing each statement below with the correct demonstrative adjective.

1. Quiero (these) _____ camisas.

2. Prefiero (those) _____ zapatos.

3. No me gustan (those over there) _____ vaqueros.

4. Voy a comprar (that) _____ cinturón.

5. Deseo probarme (these) _____ corbatas.

8-15 ¿Qué prefieres? At the store, a clerk asks you which of the following items you would like to buy. Reply, following the model and make changes when necessary.

MODELO: camisas (este/ése)
           Prefiero estas camisas, no ésas.

1. cadena (este/ése)

   _____

2. llavero (ese/aquél)

   _____

3. aretes (ese/aquél)

   _____

4. collar de perlas (este/ése)

   _____

5. anillo de oro (ese/aquél)

   _____

6. pulsera (ese/aquél)

   _____

8-16 ¿Qué pregunta el dependiente? Following the model, tell what the clerk is asking and what the customer prefers trying on.

MODELO: (trajes/falda)

DEPENDIENTE: ¿Desea probarse estos trajes?

CLIENTE: *No gracias. Prefiero probarme esa falda.*

1. (gorra/sombrero)

DEPENDIENTE: _____

CLIENTE: _____

2. (corbata/cinturones)

DEPENDIENTE: _____

CLIENTE: _____

3. (guantes/calcetines)

DEPENDIENTE: _____

CLIENTE: _____

4. (pantimedias/pantalones cortos)

DEPENDIENTE: _____

CLIENTE: _____

5. (botas/sandalias)

DEPENDIENTE: _____

CLIENTE: _____

6. (suéter/vestido)

DEPENDIENTE: _____

CLIENTE: _____

4. Comparisons of equality and inequality

8-17 En el almacén. Compare items at a department store by combining each sentence on the left with the sentence on the right using **tan. . . como**.

MODELO: Mi collar de perlas es elegante. Tu collar de perlas es elegante.
               Mi collar de perlas es tan elegante como tu collar de perlas.

1. Tu pulsera es cara. Mi pulsera es cara.

   _____

2. Tu reloj de oro es bonito. Nuestro reloj de oro es bonito.

   _____

3. La falda de mi tía es barata. Mis faldas son baratas.

   _____

4. Mis zapatos son cómodos. Mis sandalias son cómodas.

   _____

5. Mi anillo es pequeño. Tu anillo es pequeño.

   _____

6. Sus gorras son buenas. Mi sombrero es bueno.

   _____

7. Su traje y su abrigo son atractivos. Mi camisa de seda es atractiva.

   _____

8. Nuestro suéter es bello. Su suéter es bello.

   _____

8-18 Comparaciones. Write complete sentences using **tanto/a. . . como or tantos/as. . . como.**

MODELO: yo / tener / trajes / tú
           Yo tengo tantos trajes como tú.

1. esta tienda / tener / dependiente / esa tienda

   _____

2. ese almacén / recibir / camisas / aquel almacén

   _____

3. estos dependientes / atender / clientes / aquellos dependientes

   _____

4. esa joyería / vender / cadenas / aquellas joyerías

   _____

5. aquel niño / probarse / zapatos / aquellas chicas

   _____

6. esa señora / comprar / talco / aquellas chicas

   _____

8-19 Más comparaciones. Complete the following sentences with a comparison of inequality.

MODELO: Mi cinturón es barato, pero tu cinturón *es más barato que mi cinturón* .

1. Mi cartera es roja, pero tu cartera _____.

2. Nuestro anillo es hermoso, pero su anillo _____.

3. Mi corbata es azul, pero sus corbatas _____.

4. Nuestros calcetines son malos, pero sus calcetines _____.

5. Nuestros zapatos son hermosos, pero sus zapatos _____.

6. Mi cadena es buena, pero su cadena _____.

7. El dependiente es joven, pero la dependienta _____.

8. El mostrador es ancho, pero el probador _____.

9. El saco y la chaqueta son pequeños, pero el vestido _____.

10. Sus pantalones son elegantes, pero sus sandalias _____.

8-20 Los/Las dependiente/as. Imagine that you work at a department store. Compare yourself to the different clerks in the store. Make at least five comparisons of inequality.

MODELO: *Yo soy más amable que los otros dependientes.*

1. _____

2. _____

3. _____

4. _____

5. _____

5. Superlatives

8-21 ¡A cambiar! Replace the italicized words with the word in parentheses. Make changes when necessary. Follow the model.

MODELO: *Ese almacén* es el más caro de la ciudad. (tienda)
          Esa tienda es la más cara de la ciudad.

1. *Estos zapatos* son los más cómodos del mundo. (sandalias)

   _____

2. *Esta cadena es* la más elegante de la joyería. (reloj)

   _____

3. *Aquella zapatería* es la más popular del centro. (almacén)

   _____

4. *Esa farmacia* es la más económica de la cuadra. (florería)

   _____

5. *Esta dependienta* es la más amable de todas. (dueño)

   _____

6. *Aquel cliente* es el más pequeño del grupo. (aquellos clientes)

   _____

7. *Esos frascos* son los más baratos del mostrador. (aretes)

   _____

8. *Ese centro comercial* es el mejor del país. (centros comerciales)

   _____

8-22 Preguntas y respuestas. Answer the following questions with complete sentences using the superlative construction.

1. ¿Cuál de tus joyas es la más hermosa de todas?

    _____

    _____

2. ¿Cuáles son tus dos trajes menos elegantes de todos tus trajes?

    _____

    _____

3. ¿Cuál es el almacén más grande de la ciudad?

    _____

    _____

4. ¿Cuáles son las tiendas más populares de la ciudad?

    _____

    _____

5. ¿Quién es la mejor dependienta de la tienda?

    _____

    _____

6. ¿Cuál es la marca (*brand*) más cara de vaqueros?

    _____

    _____

8-23 Paco y Jorge. Paco likes to top whatever his friend Jorge says. Using comparative and superlative forms, write his responses to Jorge, following the model.

MODELO: JORGE: Mi camisa es cara.
                      (camisa/cara/mundo)
          PACO: *Pues, mi camisa es más cara que tu camisa. Es la camisa más cara del mundo.*

1. JORGE: Mis guantes son muy buenos.

    (guantes/mejor/almacén)

    PACO: _____

2. JORGE: Mis abrigos son muy buenos.

    (abrigos/mejor/tienda)

    PACO: _____

3. JORGE: Mi reloj es muy hermoso.

    (reloj/hermoso/todos los relojes)

    PACO: _____

4. JORGE: Mis joyas son muy elegantes.

    (anillo/elegante/mundo)

    PACO: _____

5. JORGE: Mis chaqueta es muy popular.

    (chaqueta/popular/todo el país)

    PACO: _____

8-24 Preguntas personales. Answer the following questions in Spanish.

1. ¿Quiénes en tu familia son mayores que tú?

   _____

2. ¿Quién en tu familia es menor que tú?

   _____

3. ¿Quién es la persona mayor de tu familia?

   _____

4. ¿Cómo se llama el mejor de tus amigos?

   _____

5. ¿Quiénes son los mejores estudiantes de tu clase?

   _____

6. ¿Quién es el peor chico de la residencia estudiantil? ¿Por qué?

   _____

7. ¿Quién es la mejor profesora de la universidad?

   _____

8. ¿Quién es el chico o la chica más inteligente de la clase?

   _____

TALLER

8-25 De compras

Primera fase. Interview four to five students in your class to find out about their last trip to a department store or supermarket. Ask for information that will help you complete the following chart. Fill in information about your last shopping trip as well.

MODELO: Lourdes: Zapatería Villa Buena, con una amiga, el fin de semana pasado, dos
          pares de zapatos, 55 dólares

ESTUDIANTE	¿ADÓNDE?	¿CON QUIÉN?	¿CUÁNDO?	¿QUÉ?	¿DINERO?
TÚ					

Segunda fase. Now write a paragraph describing and comparing the different shopping trips using the information from the chart you completed in the **Primera fase.**

MODELO: Lourdes fue de compras con una amiga a la Zapatería Villa Buena el fin
          de semana pasado. Compró dos pares de zapatos por 55 dólares.
          Ella gastó menos dinero que Antonio. Antonio. . .

_____

_____

_____

_____

_____

_____

8-26 En el Perú y el Ecuador. The shopping experience in other countries can seem very different for tourists from the U.S. and Canada. Look up advice for tourists shopping in Peru or Ecuador on the Internet or through library sources. You should be able to find tour guides in both places. Make a list in Spanish of do's and don't's for shopping in the country you select. Then, make a similar do's and don't's list in Spanish for foreigners shopping in your area. You may need to review the formal commands to write your lists.

EN EL PERÚ/EL ECUADOR:

_____

_____

_____

_____

_____

EN _____:

_____

_____

_____

_____

_____

8-27 Las leyendas incas. The Incas had many legends that were passed down orally. Some of these have survived. For many people, their "real" history is equally fascinating. Select one of the following topics, and research it on the Internet or in the library. Organize the information you find in an outline or in a brief summary in Spanish.

- leyendas de la creación: los dioses (Viracocha, Inti, Mamá Kilya, Ilyapa)
- el derrumbamiento de los incas: Huayna Capa, Atahualpa, Huáscar y Pizarro
- los quipu: sistema de registrar información
- las carreteras de los incas (no tenían ruedas [*wheels*] o caballos)
- el quechua: idioma de los incas
- la arquitectura: las ruinas de los incas

_____

_____

_____

_____

_____

_____

_____

LECCIÓN 9

Vamos de viaje

PRIMERA PARTE

¡Así es la vida!

9-1 Un viaje. Reread the conversation on page 293 of your textbook, then complete the statements below in Spanish.

1. La nacionalidad de Mauricio y Susana es _____.

2. Ellos quieren _____.

3. Rosario Díaz es _____.

4. Susana dice que ellos están _____.

5. Mauricio quiere _____

   porque _____.

6. A Susana no le gusta la idea porque _____.

7. Rosario les muestra _____ que ofrece

   _____.

8. El viaje incluye _____

   y cuesta _____.

9. Después de leer el folleto, ellos _____.

10. Un mes más tarde, ellos están _____.

11. Antes de salir para Colombia, oyen _____.

12. El destino del vuelo 79 es _____.

13. Después de pasar por la puerta de salida, ellos están _____

    donde escuchan _____.

14. Antes de despegar, ellos tienen que _____.

¡ASÍ LO DECIMOS!

9-2 Asociaciones. Primera fase. Match each word or expression from the first column with one from the column on the right.

_____ 1. el aduanero

_____ 2. el boleto

_____ 3. el guía

_____ 4. el equipaje

_____ 5. la azafata

_____ 6. el asiento

_____ 7. el cinturón de seguridad

_____ 8. la demora

a. el mostrador de la aerolínea

b. despegar

c. la sala de reclamación

d. la tarjeta de embarque

e. la sala de espera

f. la aduana

g. la ventanilla

h. la excursión

Segunda fase. Now write an original sentence using the paired words from the **Primera fase**.

1. _____

2. _____

3. _____

4. _____

5. _____

6. _____

7. _____

8. _____

9-3 De viaje. Choose the word or expression that best completes each sentence.

1. La azafata me pidió _____.

   a. el folleto

   b. el cinturón de seguridad

   c. la tarjeta de embarque

2. Antes de despegar me abroché el _____.

   a. avión

   b. pasillo

   c. cinturón de seguridad

3. Puse mi loción y mi máquina de afeitar dentro del _____.

   a. equipaje de mano

   b. asiento

   c. folleto

4. Soy estudiante y no tengo mucho dinero. Compro un boleto de _____.

   a. clase turista

   b. aduana

   c. ida y vuelta

5. Hay demora en el vuelo a Bogotá. Voy a sentarme en la _____.

   a. aduana

   b. sala de espera

   c. cabina

6. Antes de comprar una excursión, es bueno leer el _____.

   a. aterrizaje

   b. folleto de información

   c. pasaje

7. Hay mucha gente delante del mostrador. Tenemos que _____.

    a. cancelar el vuelo

    b. hacer cola

    c. abrocharnos el cinturón de seguridad

8. El avión tiene problemas. Tenemos que salir por la _____.

    a. aduana

    b. puerta de salida

    c. salida de emergencia

9-4 Cuestionario. How do you like to do things when you travel? Answer with complete sentences in Spanish.

1. Cuando viajas en avión, ¿en dónde prefieres sentarte y por qué?

    _____

2. Tú no fumas. ¿En qué sección te sientas?

    _____

3. ¿Qué haces si hay una demora con tu vuelo?

    _____

4. ¿Qué pones en tu maleta?

    _____

5. ¿Qué facturas y qué llevas en el avión? ¿Por qué?

    _____

¡ASÍ LO HACEMOS!

Estructuras

1. The imperfect of regular and irregular verbs

9-5 ¿Qué hacían cuando viajaban? Describe what the following people used to do whenever they traveled. Complete each sentence with the correct imperfect form of each verb in parentheses.

1. Cuando Ana viajaba, (comprar) _____ sus boletos en la agencia de viajes.

2. Mis padres (pedir) _____ asientos en la sección de no fumar.

3. Juan nunca (saber) _____ el número de vuelo.

4. Antes de abordar al avión nosotros (facturar) _____ el equipaje.

5. Los niños (jugar) _____ en sus asientos.

6. Mucha gente (leer) _____ el periódico.

7. Andrea les (escribir) _____ unas postales a sus amigos.

8. La azafata nos (servir) _____ los refrescos.

9. La pareja (dormir) _____ durante el viaje.

10. Las chicas (reírse) _____ de alegría.

9-6 Los recuerdos de mi abuela. Describe how things used to be by changing each statement from the present indicative to the imperfect.

MODELO: Ahora, bailamos rock.
          Antes, bailábamos vals.

1. Ahora, trabajamos cincuenta horas a la semana.

   Antes, _____.

2. Ahora, vemos mucha televisión.

   Antes, _____.

3. Ahora, viajamos en avión a todas partes.

   Antes, _____.

4. Ahora, compramos y gastamos mucho.

   Antes, _____.

5. Ahora, comemos en restaurantes.

   Antes, _____.

9-7 Los recuerdos de la azafata. Complete the flight attendant's reminiscences with the correct imperfect form of each verb in parentheses.

Cuando yo (1) (trabajar) _____ de azafata, nosotras

(2) (llegar) _____ al aeropuerto temprano,

(3) (conversar) _____ con las otras azafatas y luego

(4) (pasar) _____ al avión. Nuestro vuelo siempre

(5) (salir) _____ a las tres de la tarde. Antes de despegar, mientras el piloto

(6) (anunciar) _____ la salida del vuelo, mis compañeras y yo

(7) (atender) _____ a los pasajeros y les

(8) (mostrar) _____ las instrucciones. Los pasajeros siempre

(9) (abrocharse) _____ el cinturón de seguridad y a veces, algunos de ellos

(10) (ponerse) _____ nerviosos. Generalmente, nosotros

(11) (volar) _____ a 12.000 metros de altura y durante el vuelo nosotras les

(12) (servir) _____ refrescos a los pasajeros. Cuando el avión

(13) (aterrizar)_____, nosotras (14) (ayudar) _____ a los

pasajeros y les (15) (desear) _____ buena suerte.

9-8 Recuerdos de nuestras profesiones. Complete the paragraphs with the correct forms of the indicated verbs in the imperfect.

1. **ser**

   Cuando yo _____ aeromozo, _____ muy amable con

   los pasajeros. Mis compañeros también _____ muy amables. Nuestra

   supervisora _____ muy paciente con los pasajeros. Nosotros

   _____ un equipo muy unido.

2. **ir**

   Yo _____ de guía a muchas excursiones. Los turistas

   _____ de excursión por la mañana y por la noche

   _____ a las discotecas. Los domingos todos nosotros

   _____ de compras al centro.

3. **ver**

   En mi profesión de aduanero, yo _____ a muchos pasajeros. Los otros

   aduaneros _____ a muchos pasajeros también. En la aduana mientras un

   aduanero _____ las maletas, el otro _____ el equipaje de

   mano. Bueno, nosotros _____ muchas cosas dentro de todos los equipajes.

9-9 Cuestionario. What were things like when you were a child? Answer the questions with complete sentences in Spanish.

1. ¿Cómo eras tú cuando eras niño/a?

   Yo era curioso

2. ¿A dónde ibas a menudo con tus amigos?

   Yo iba al cine

3. ¿Dónde vivías?

   Yo vivía en Canada

4. ¿Qué hacías en la escuela?

   Yo jugaba mucho.

5. ¿Veías mucho a tus parientes?

Yo vea mucho

2. *Por* or *para*

9-10 ¡A completar! Fill in the blanks with **por** or **para**.

1. Emilio caminaba _____ el aeropuerto buscando la puerta de su salida.

2. _____ mí, viajar en avión es más interesante que viajar por coche.

3. Julio llegó al aeropuerto _____ la tarde.

4. Estuvimos en la sala de espera _____ dos horas.

5. Necesito la tarjeta de embarque _____ el vuelo.

6. ¿Compraste los billetes _____ mil dólares?

7. La azafata fue al pasajero _____ los boletos.

8. Busqué el folleto _____ ti.

9. Nosotros salimos _____ San Andrés.

10. Mañana _____ la noche, te llamo desde Caracas.

9-11 Decisiones. Decide whether to use **por** or **para** with the following sentences.

1. El avión salió _____para_____ Colombia.

2. Nuestro viaje es _____para_____ el martes.

3. El vuelo 79 es dos veces _____por_____ semana.

4. El avión vuela a 600 millas _____por_____ hora.

5. _____Para_____ mí, es la mejor aerolínea del mundo.

6. _____Por_____ ser tan joven, el piloto vuela muy bien.

7. _____Para_____ fin, salió el avión.

8. ¡ _____Por_____ Dios que me vuelvo loca con tantos pasajeros!

9. _____Para_____ ir a Colombia hay que tener un pasaporte.

10. La luz entraba _____por_____ la ventanilla del avión.

11. El boleto es _____para_____ viajar.

12. Este folleto es _____para_____ ti.

13. Tú estudias _____para_____ ser piloto.

9-12 Actividades durante las vacaciones. To describe your plans for an upcoming vacation, complete the paragraph using **por** or **para**.

El sábado salimos (1) _____para_____ Venezuela. Fuimos (2) _____para_____ los boletos ayer. Vamos (3) _____por_____ avión y vamos a quedarnos allí (4) _____por_____ dos semanas. El agente de viajes planeó muchas excursiones (5) _____para_____ nosotros. (6) _____Por_____ las mañanas, vamos a hacer excursiones (7) _____por_____ muchos lugares y (8) _____por_____ las tardes, vamos a participar en varias actividades. Podemos dar un paseo (9) _____por_____ el parque nacional, montar a caballo (10) _____por_____ la playa o tomar sol (11) _____por_____ una hora. (12) _____Por_____ el sol de Venezuela, el agente nos recomendó una loción bronceadora. Vamos a Venezuela (13) _____para_____ descansar un poco y (14) _____para_____ divertirnos.

9-13 Pequeña composición. Write a short description (eight sentences) to one of your friends about a trip you took, your weekend, or your school. Try to use **por** and **para** in your sentences.

_____

_____

_____

_____

_____

_____

_____

_____

_____

SEGUNDA PARTE

¡Así es la vida!

9-14 Una carta. Reread the letter on page 307 of your textbook and answer the following questions with complete sentences in Spanish.

1. ¿De dónde acaban de llegar Susana y Mauricio? ¿Cómo lo pasaron?

   _____

   _____

2. ¿Por cuánto tiempo estuvieron en San Andrés?

   _____

   _____

3. ¿Cómo era el hotel y cómo los trataron a ellos?

   _____

   _____

4. ¿Cómo era el cuarto del hotel?

   _____

   _____

5. ¿Qué hacían ellos durante el día?

   _____

   _____

6. ¿Qué hicieron ellos el último día en San Andrés?

   _____

   _____

7. ¿Cómo comparas el hotel de Cartagena con el hotel de San Andrés?

   _____

   _____

8. ¿Qué sitios visitaron ellos en Cartagena?

_____

_____

9. ¿Qué hicieron ellos una noche en Cartagena?

_____

_____

10. ¿Qué hacía Mauricio por las tardes?

_____

_____

¡ASÍ LO DECIMOS!

9-15 ¡A completar! Complete each statement with an appropriate word or expression from **¡Así lo decimos!**

1. Cuando hace mucho sol, tengo que ponerme _____ para ver bien.

2. Para no perderme en la ciudad consulto el _____.

3. En el jardín hay muchas _____.

4. Nuestra _____ en el hotel fue por cuatro noches.

5. Quiero sacar más fotos. Necesito comprar un _____.

6. En el _____ hay muchos árboles.

7. La _____ desde mi balcón es impresionante.

8. El _____ nos llevó el equipaje al cuarto.

9. Me gusta _____ en el lago.

10. No sé _____ a caballo.

11. San Andrés es una _____.

12. El Amazonas es un _____.

¡ASÍ LO HACEMOS!

Estructuras

3. Preterit vs. imperfect

9-16 Ayer fue un día diferente. To find out how yesterday was different from all other days, complete each statement with the correct preterit or imperfect form of the verb in parentheses.

1. David siempre _____ en el mar, ayer _____ en el lago. (nadar)

2. Mercedes y Víctor siempre _____ en un hotel de lujo, pero ayer no _____. (quedarse)

3. Todas las mañanas nosotros _____ en el mar, pero ayer _____ en el río. (bucear)

4. Roberto y Alicia _____ todas las tardes, pero ayer no _____. (montar a caballo)

5. Generalmente, yo _____ los bosques, pero ayer _____ un volcán. (explorar)

6. A veces yo _____ el servicio de habitación, pero ayer no _____ nada. (pedir)

7. Yo siempre _____ en cama gigante, pero ayer _____ en cama doble. (dormir)

8. Todos los días nosotros _____ de excursión, pero ayer no _____. (ir)

9-17 Las vacaciones. During summer vacations my friends and I used to work in a camp. Complete the statements with the correct preterit or imperfect form of the verbs in parentheses.

1. María y Elena siempre (iban/fueron) _____ de excursión con los niños al

   bosque.

2. Paco (exploró/exploraba) _____ las montañas por las tardes.

3. Todos los días, nosotros (nadamos/nadábamos) _____ en la piscina.

4. Mientras Jorge les (leyó/leía) _____ un cuento a los niños, Margarita

   (dormía/durmió)_____ una siesta.

5. Un sábado por la mañana, los niños no (se despertaron/se despertaban)

   _____ temprano, pero no (pudieron/podían) _____ ir al

   lago a pescar.

6. Frecuentemente, todos (cantaron/cantaban) _____ mientras Guillermo

   (tocó/tocaba) _____ la guitarra.

7. El domingo cuatro de julio, nosotros (hicimos/hacíamos)_____ un gran

   pícnic.

8. Después de cuatro semanas, los niños (se fueron/se iban) _____ a sus casas.

   (Era/Fue) _____ el final de las vacaciones.

9-18 El verano. Describe what happened to you and your relatives during the summer. Complete the following paragraph with the correct preterit or imperfect form of each verb in parentheses.

Todos los veranos yo (1)_____ (ir) a casa de mis tíos en el campo. Mis primos y

yo (2)_____ (hacer) muchas cosas. Durante el día,

(3)_____ (montar) a caballo. Por las tardes, mientras Benito

(4)_____ (tocar) la guitarra, nosotros (5)_____ (cantar).

Todos los sábados (6)_____ (salir) de excursión a las montañas. Allí siempre

(7)_____ (jugar) y (8)_____ (nadar) en el río. Un día mi

prima Isabel (9) (escuchar) _____ un ruido que

(10)_____ (venir) de una montaña. De pronto, todos

(11)_____ (correr) para ver qué (12)_____ (haber) allá. Al

llegar al lugar (13)_____ (descubrir) un salto. Nosotros

(14)_____ (tomar) muchas fotos y luego

(15)_____ (regresar) a la casa. Todos nosotros

(16)_____ (estar) contentos. Yo nunca voy a olvidar ese verano.

9-19 Una historia amorosa. Complete the following story with the correct form of the preterit or imperfect of each verb in parentheses.

(1)_____ (Haber) una vez un chico que (2)_____ (llamarse)

Clodoveo, pero sus amigos le (3)_____ (decir) "Clodoveo el feo", porque

(4)_____ (ser) muy feo. Todos los veranos, Clodoveo

(5)_____ (ir) con su familia a visitar un parque nacional que

(6)_____ (quedar) lejos de su casa. Un día, la familia de Clodoveo

(7)_____ (conocer) a la familia Bello en el parque. Los Bello

(8)_____ (tener) una hija que (9)_____ (llamarse) Florinda.

Ella (10)_____ (ser) tan linda que sus amigos le

(11)_____ (decir) "Florinda la linda." Clodoveo y Florinda

(12)_____ (comenzar) a salir y (13)_____ (empezar) a hacer

muchas cosas juntos. A menudo, ellos (14)_____ (caminar) por el bosque,

(15)_____ (montar) a caballo o (16)_____ (pescar) en el lago.

Florinda le (17)_____ (gustar) mucho a Clodoveo, pero él no

(18)_____ (atreverse) a decírselo. Un día, mientras los dos

(19)_____ (caminar) por el bosque, Clodoveo le

(20)_____ (cantar) una canción romántica a Florinda. Después le

(21)_____ (decir) que la (22)_____ (querer) mucho y le

(23)_____ (dar) unas flores que (24)_____ (estar) muy bellas.

Florinda (25)_____ (emocionarse) tanto que le (26)_____ (dar)

un beso a Clodoveo y (27)_____ (enamorarse) de él. Dos años más tarde,

Clodoveo y Florinda (28)_____ (casarse), (29)_____ (tener)

muchos hijos y (30)_____ (vivir) muy felices.

4. Adverbs ending in -mente

9-20 ¿Cómo lo hacen tus amigos? Indicate how the following people do each activity using an adverb formed from one of the adjectives below.

cuidadoso	difícil	elegante	fácil
frecuente	lento	maravilloso	rápido

1. Jorge y Juan trabajan _____.

2. Sofía camina _____.

3. Teresa siempre se viste _____.

4. Tú hablas español _____.

5. Carlitos molesta a su hermano _____.

6. Pedro, el jugador de béisbol, corre _____.

7. Yo aprendo ciencias físicas _____.

8. Esteban juega al fútbol _____.

9-21 ¿Cómo hacen su trabajo estas personas? Describe how these airline employees behave on the job by completing each sentence with the adverbial form of an adjective from the list.

alegre	claro	cuidadoso	elegante
general	lento	rápido	solo

1. La azafata es muy simpática y está contenta. Nos habla _____.

2. El empleado nos prepara el boleto _____ porque tenemos mucha prisa.

3. Estas azafatas llevan ropa muy bonita y cara. Se visten _____.

4. _____, los pilotos vuelan _____ dos o tres veces a la

   semana.

5. La azafata ayudó a mi abuelo que caminaba _____ hacia la puerta de salida.

6. El agente de viajes nos explicó el itinerario de los dos viajes muy _____.

7. Las azafatas estudian mucho para aprender a reaccionar _____ en una

   emergencia.

TALLER

9-22 Un viaje desastroso

Primera fase. Imagine that you took a trip that turned out to be a disaster. List the following information. Use the preterit and the imperfect in your narration.

¿Dónde? _____

¿Cuándo? _____

¿Cómo? (el transporte) _____

¿Con quién? _____

¿Actividades? _____

¿Problemas? _____

_____

_____

_____

_____

Segunda fase. Now, use the information you listed in the **Primera fase** to organize a narration describing the disastrous trip.

_____

_____

_____

_____

_____

_____

_____

_____

_____

9-23 Las vacaciones y los viajes. Colombia and Venezuela have many attractive vacation opportunities. Whether you want lazy days on the beach, an eco-tourist adventure in a rainforest, or a mountain biking expedition through the Andes, you'll find a place in Colombia or Venezuela. Decide what kind of vacation you would like to take if you could travel to Colombia or Venezuela. Use the Internet or library resources to look up vacation/travel packages and try to do some comparison shopping as you explore the opportunities. Organize the information you find in Spanish in the chart below.

PAÍS/CIUDAD	TRANSPORTE	HOTEL	AMENIDADES	ACTIVIDADES	COSTO	MISCELÁNEA
TÚ						

9-24 Más allá de las páginas: restricciones.

Primera fase. The narrator of *Relato de una vida equivocada* gives an account of restrictions that she endured. Very possibly, children she might have would not have the same restrictions. Make a list of restrictions you had as a young child. Then make a list of restrictions you think your parents may have had as children. Finally, list the restrictions your children have or will have.

De niño/a, yo. . .

_____

_____

_____

_____

De niños, mis padres. . .

_____

_____

_____

_____

_____

Mis hijos. . .

_____

_____

_____

_____

Segunda fase. Now write a brief narrative describing a restriction that you had as a child that bothered you. Compare your situation to that of your parents' as well as to how you restrict or will restrict your own children. Use the imperfect to describe general situations, but use the preterit to narrate specific incidences in the past.

_____

_____

_____

_____

_____

_____

_____

_____

_____

_____

LECCIÓN 10

¡Tu salud es lo primero!

PRIMERA PARTE

¡Así es la vida!

10-1 ¡Qué mal me siento! Reread the conversations on page 327 of your textbook and answer the questions below with complete sentences in Spanish.

1. ¿De qué está hablando don Remigio con su esposa?

   _____

2. ¿Cuánto tiempo hace que está enfermo?

   _____

3. ¿Qué quiere doña Refugio?

   _____

4. ¿Cómo se llama el médico?

   _____

5. ¿Qué partes del cuerpo le duelen a don Remigio?

   _____

6. Según don Remigio, ¿a qué es alérgico?

   _____

7. Según el médico, ¿qué tiene don Remigio?

   _____

8. ¿Qué le receta el Dr. Estrada a don Remigio?

   _____

9. No puedo respirar bien cuando hago ejercicios.

_____

10. ¿Cuándo van a operarme?

_____

10-4 El cuerpo. Identify the numbered parts of the body in the illustration below.

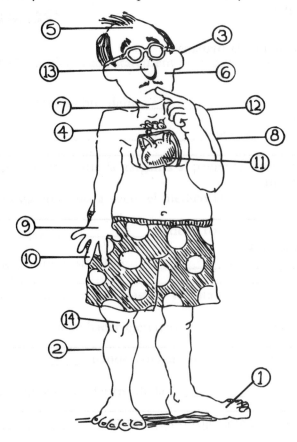

1. _____   8. _____

2. _____   9. _____

3. _____   10. _____

4. _____   11. _____

5. _____   12. _____

6. _____   13. _____

7. _____   14. _____

¡ASÍ LO HACEMOS!

Estructuras

1. The Spanish subjunctive: an introduction and the subjunctive in noun clauses

10-5 ¡A practicar! Give the present subjunctive form of the following verbs.

1. NOSOTROS: caminar _____ beber _____ escribir _____

2. ELLOS: hacer _____ oír _____ traer _____

3. YO: conocer _____ dormir _____ sentarse _____

4. USTEDES: llegar _____ seguir _____ sacar _____

5. TÚ: sentirse _____ buscar _____ ser _____

6. ÉL: dar _____ venir _____ estar _____

7. USTED: leer _____ levantarse _____ salir _____

8. ELLA: devolver _____ ir _____ decir _____

10-6 Mamá está enferma. Our mother is sick and our brother, Felipe, is in charge. Write out the things he wants us to do.

MODELO: Julio / llamar al médico
          Felipe quiere que Julio llame al médico.

1. Romelio / ir a la farmacia

_____

2. Ernesto y Carlos / buscar las pastillas

_____

3. nosotros / comprar el jarabe

_____

4. yo / atender a mamá

_____

5. tú / bañar a Anita

_____

6. Ramiro / hacerle una cita a mamá con el médico

_____

7. Paula y yo / cocinar hoy

_____

8. papá / salir temprano y comprar los antibióticos

_____

10-10 El interno. You are an intern in a hospital and you ask your medical professors for advice. One agrees with you and the other doesn't. Use the **nosotros** command to express their responses and use object pronouns to avoid repetition.

MODELO: preparar el horario de trabajo
     TÚ: *¿Preparamos el horario de trabajo?*
     # 1: *Sí, preparémoslo.*
     # 2: *No, no lo preparemos.*

1. leer la radiografía

    TÚ:_____

    # 1:_____

    # 2:_____

2. hablar con la especialista

    TÚ:_____

    # 1:_____

    # 2:_____

3. conseguir más pastillas

    TÚ:_____

    # 1:_____

    # 2:_____

4. pedir la información al enfermero

    TÚ:_____

    # 1:_____

    # 2:_____

5. recetar más antibióticos

    TÚ:_____

    # 1:_____

    # 2:_____

6. ponerle inyecciones a los pacientes

   TÚ:_____

   # 1:_____

   # 2:_____

7. repetir el examen físico a don Remigio

   TÚ:_____

   # 1:_____

   # 2:_____

8. operar al niño

   TÚ:_____

   # 1:_____

   # 2:_____

SEGUNDA PARTE

¡Así es la vida!

10-11 Mejora tu salud. Answer the following questions based on the article on page 340 of your textbook with complete sentences in Spanish.

1. ¿Por qué es importante vigilar la alimentación?

   _____

2. ¿Qué enfermedades cobran vidas?

   _____

3. ¿Cómo se puede reducir el riesgo de estas enfermedades?

   _____

4. Según el artículo, ¿qué alimentos se deben limitar?

   _____

5. ¿Qué alimentos son buenos?

   _____

6. ¿Qué otros factores contribuyen a la buena salud?

   _____

¡ASÍ LO DECIMOS!

10-12 ¡A escoger! Select the most appropriate word or phrase to complete each statement and write it in the space provided.

1. Si alguien desea adelgazar, necesita eliminar de su dieta _____

   a. las frutas

   b. la grasa

   c. las legumbres

2. Para mantenerse en forma, se necesita _____.

   a. fumar

   b. engordar

   c. estar a dieta

3. Para subir de peso, se necesita _____.

   a. estar a dieta

   b. adelgazar

   c. comer muchos carbohidratos

4. Nosotros necesitamos tener bajo el _____.

   a. cigarrillo

   b. colesterol

   c. estar a dieta

5. Se compran los alimentos más saludables en _____.

   a. el centro naturista

   b. la pastelería

   c. la mueblería

6. Para ponernos en forma, tenemos que _____.

   a. comer más

   b. trotar

   c. subir de peso

7. Un alimento rico en proteínas es el _____.

   a. pescado

   b. azúcar

   c. aceite

8. Un tipo de ejercicio es _____.

   a. guardar la línea

   b. levantar pesas

   c. el reposo

10-13 Cuestionario. Answer the questions below with complete sentences in Spanish.

1. ¿Cómo guardas la línea?

   _____

2. ¿Quieres adelgazar o engordar?

   _____

3. ¿Necesitas ponerte en forma?

   _____

4. Cuando haces ejercicios, ¿qué haces?

   _____

5. ¿Te cuidas bien? ¿Qué haces para cuidarte?

   _____

6. ¿Qué tipos de alimentos comes?

   _____

¡ASÍ LO HACEMOS!

Estructuras

3. The subjunctive to express volition

10-14 En el consultorio del médico. Complete the paragraphs about what people in the doctor's office recommend and prefer with the correct present subjunctive form of each verb in parentheses.

1. El médico recomienda que la joven (dormir) _____ mucho esta noche y

   que (beber) _____ muchos líquidos. También recomienda que no

   (hacer) _____ ejercicios por una semana. Insiste en que no

   (correr) _____, no (nadar) _____ y no

   (bailar) _____.

2. La recepcionista prefiere que yo (hablar) _____ con ella y que

   (pagar) _____ la cuenta inmediatamente. Quiere que le

   (pedir) _____ al médico la fecha de la próxima cita. También quiere que la

   (llamar) _____ si necesito hablar con el médico.

3. La doctora recomienda que nosotros (levantarse) _____ tarde y que

   (acostarse) _____ temprano. Sugiere que no

   (trabajar) _____ por dos o tres días y que

   (empezar) _____ a descansar más. También sugiere que

   (comer) _____ más frutas y vegetales y que

   (dormir) _____ más.

10-15 Consejos. Using words and expressions from **¡Así lo decimos!**, give advice to your friends by completing the statement below.

1. Estoy muy cansada siempre.

   Te sugiero que _____.

2. Mi colesterol está muy alto. ¿Qué hago?

   Te recomiendo que _____.

3. Como demasiadas grasas. ¿Qué me puedes aconsejar?

   Te aconsejo que _____.

4. Mi amigo fuma cigarrillos y bebe muchas bebidas alcohólicas.

   Dile que _____.

5. No sé si debo ponerme a dieta. ¿Qué te parece?

   Te sugiero que _____.

10-16 Una vida saludable. Pablo and his friends have decided to adopt healthier lifestyles. Complete Juan's explanation about how they're going to go about this. Write the correct form of the subjunctive, indicative or infinitive form of each verb in parentheses.

Uno de nuestros amigos, Pablo, participa en un programa de salud. Ahora insiste en que nosotros

(1)_____ (participar) con él. Desea que todos nosotros

(2) _____ (estar) sanos y que no (3)_____ (enfermarse). Pablo

dice que el programa (4)_____ (ser) fácil y que nosotros

(5)_____ (poder) empezarlo inmediatamente, pero también nos recomienda que

(6)_____ (hacer) una cita con el médico antes de

(7)_____ (empezar) el programa. Nos sugiere que

(8)_____ (correr) un poco todos los días y que

(9)_____ (hacer) ejercicio con él. Es necesario

(10)_____ (continuar) con el programa por dos meses, según Pablo. Durante

una práctica de ejercicios, desea que (11)_____ (tocarse) los dedos de los pies con

los dedos de la mano. En otra práctica, nos aconseja que (12)_____ (levantar) las

piernas y que las (13)_____ (bajar) lentamente. Es necesario

(14)_____ (respirar) normalmente durante toda la práctica. Nos pide que

(15)_____ (ver) un video de ejercicios antes de

(16)_____ (practicar). ¡Vamos a (17)_____ (sentirse)

perfectamente bien muy pronto!

10-17 Recomendaciones. Imagine that a friend wants some advice from you about staying in good health. Give your recommendations by completing the following sentences. Use a different verb in each sentence.

1. Te recomiendo que _____.

2. Te mando que no _____.

3. Te aconsejo que _____.

4. Te pido que _____.

5. Te prohíbo que _____.

6. Te digo que tú y tus amigos _____.

7. También les sugiero que ustedes _____.

8. Deseo que ustedes _____.

4. The subjunctive to express feelings and emotion

10-18 En el gimnasio. Form complete sentences using the cues provided. Make all necessary changes and add any other necessary words.

MODELO: (yo) / esperar / (tú) / hacer ejercicios
Espero que hagas ejercicios.

1. (yo) / enojarse / (tú) / no cuidarse / mejor

   _____

2. ¿(tú) / temer / haber / mucho / grasa / en el chocolate?

   _____

3. (nosotros) / sentir / (tú) / no poder / levantar pesas / esta / tarde

   _____

4. ¿(ustedes) / lamentar / el club / no estar / abierto?

   _____

5. mis amigos / esperar / (yo) / hacer / ejercicios / con ellos

   _____

6. Pablo / estar / contento / nosotros / ir / gimnasio / hoy

   _____

7. el atleta / sorprenderse de / ellos / fumar / después / correr

   _____

8. los equipos / insistir / todos / nosotros / participar

   _____

9. ¿(usted) / alegrarse / yo / mantenerse / en forma?

   _____

10. me / sorprender / tú / estar / dieta

   _____

Nombre: _____ Fecha: _____

10-19 La vida de Luis. Complete the paragraph about Luis' career plans with the correct form of the present subjunctive, present indicative, or infinitive of each verb in parentheses.

Los padres de Luis desean que él (1)_____ (estudiar) para

(2)_____ (ser) abogado, pero él quiere (3)_____ (estudiar)

medicina. Todos los días les dice a sus padres que (4)_____ (querer) ser médico,

pero ellos prefieren que (5)_____ (ser) abogado. Prefieren la profesión de

abogado porque creen que los médicos nunca (6)_____ (tener) tiempo para

nada. Esperan que su hijo (7)_____ (divertirse) y que no

(8)_____ (trabajar) siempre. Luis dice que sus padres no

(9)_____ (tener) razón pero comprende también que ellos

(10)_____ (querer) que él (11)_____ (estar) contento.

Finalmente, los padres le dicen que la decisión (12)_____ (ser) suya y que no les

molesta que (13)_____ (ir) a ser médico. Él se alegra mucho de que sus padres

(14)_____ (comprender) y (15)_____ (respetar)

su decisión.

10-20 Tu familia y tu salud. What are the things you fear, hope for, and are happy about regarding your family and your health. Write at least five sentences using the expressions below.

MODELO: *Me alegro de que mis hijos estén bien. Temo que se enferme mi abuela.*

espero que   me enoja que
estoy triste de que   me preocupa que
lamento que   temo que
me alegro de que

1. _____
2. _____
3. _____
4. _____
5. _____

_____

_____

UNA DESCRIPCIÓN DE UNA PERSONA TÍPICA GUARANÍ

_____

_____

_____

_____

_____

LECCIÓN 11

¿Para qué profesión te preparas?

PRIMERA PARTE

¡Así es la vida!

11-1 Los trabajadores. Reread the business cards on page 359 of your textbook and complete the following statements in Spanish.

1. Margarita Alfonsín Frondizi es _____. Trabaja en el _____, en la Calle Torrego, número _____. Su número de teléfono es el

   _____.

2. Rafael Betancourt Rosas es _____. Su oficina está en el

   _____, en Montevideo, _____.

3. La Dra. Mercedes Fernández de Robles es _____. Su oficina está en el

   _____, en el _____ de México.

4. Ramón Gutiérrez Sergil es _____. La calle donde se encuentra su oficina se

   llama _____. Trabaja en _____, _____.

5. La Dra. Julia R. Mercado es _____. Su dirección es _____,

   Barcelona, _____. Su número de teléfono es el _____ y el

   de su fax es el _____.

¡ASÍ LO DECIMOS!

11-2 ¡A completar! Choose a word or expression from **¡Así lo decimos!** to complete each statement below.

1. Esa _____ nos va a diseñar una casa nueva.

2. Este _____ es magnífico. Puede escribir a máquina sesenta palabras por minuto sin errores.

3. El _____ me recomienda que use más champú.

4. Mariluz sabe dos idiomas, ella es la _____ de su compañía.

5. La supervisora de los nuevos empleados ha preparado un buen programa de _____. Ellos van a aprender mucho sobre sus responsabilidades durante esta semana.

6. Los vendedores no reciben un salario fijo. Ellos trabajan _____.

7. Mi _____ es obtener ese puesto.

8. La _____ curó a mi perro.

11-3 Palabras relacionadas. What words do you remember from previous lessons that are related to these new vocabulary words? Write as many related words as you can recall.

MODELO: el/la enfermero/a
enfermo/a, la enfermedad, enfermarse

1. el/la dentista

_____

2. el/la contador/a

_____

3. el/la cocinero/a

_____

4. el/la vendedor/a

_____

5. el/la viajante

_____

11-4 Combinación. Use corresponding elements in the two columns to form eight logical sentences.

un gerente	atender a los clientes
una veterinaria	repartir las cartas
un mecánico	hacer muebles
un peluquero	reparar el coche
una carpintera	curar a mi perro
una bombera	contratar más empleados
un cartero	apagar un fuego
un vendedor	cortar el pelo

1. _____

2. _____

3. _____

4. _____

5. _____

6. _____

7. _____

8. _____

11-5 Los clasificados. Read the VideoMúsica want ad and answer the following questions in Spanish.

1. ¿Qué solicita VideoMúsica?

_____

_____

2. ¿Qué requisitos deben satisfacer los/as vendedores/as?

_____

_____

_____

3. ¿Cuáles son los documentos que tienen que traer?

_____

_____

4. ¿Qué ofrece VideoMúsica?

_____

_____

VIDEOMÚSICA
Solicita

VENDEDORES (AS)

Requisitos:
- Bachiller
- Buena presencia
- Mayor de 18 años
- Buenas recomendaciones interpersonales
- Deseos de trabajar en el área de ventas (tiendas de Sonido y Videos)
- Disponibilidad para trabajar durante el horario de tienda (10:00 a.m. a 8:00 p.m. de Lunes a Sábado)

CAJEROS (AS)

Requisitos:
- Bachiller
- Mayor de 18 años
- Disponibilidad inmediata tiempo completo

Ofrecemos:
- Atractivos beneficios económicos
- Excelente ambiente de trabajo
- Oportunidad de Desarrollo Profesional

Interesados favor de presentarse con los siguientes documentos: 1 Fotografía de frente reciente, Fotocopia de la cédula de identidad, Constancia de trabajos anteriores y dos referencias personales por escrito, a la siguiente dirección: Centro Mar y Sol, Piso 42, Oficina 378, Bahía Blanca, Argentina.

¡ASÍ LO HACEMOS!

Estructuras

1. The subjunctive to express doubt and denial

11-6 Unas opiniones. María disagrees with everything Carlos says. Play the part of María and change Carlos' statements from affirmative to negative or vice-versa.

MODELO: CARLOS: Creo que el plomero es muy bueno.
                   MARÍA: No creo que el plomero sea muy bueno.

1. CARLOS: Estoy seguro de que ese mecánico repara bien los carros.

   MARÍA: _____

2. CARLOS: No niego que el gerente va a preparar el horario de trabajo.

   MARÍA: _____

3. CARLOS: Yo creo que él consigue esa meta.

   MARÍA: _____

4. CARLOS: No dudo que ustedes tienen ese sueldo.

   MARÍA: _____

5. CARLOS: Pienso que la directora sabe mucho.

   MARÍA: _____

6. CARLOS: No niego que los viajantes venden ese producto.

   MARÍA: _____

7. CARLOS: Estoy seguro de que Chucho y Chela trabajan en esa compañía.

   MARÍA: _____

8. CARLOS: Creo que Ramiro piensa trabajar allí.

   MARÍA: _____

11-7 Tu opinión. Guillermo makes many unfounded statements. Set him straight each time he does this by using a verb or expression from the list below and by making any necessary changes.

MODELO: Nosotros siempre nos dormimos en el trabajo.
No es cierto que nosotros nos durmamos en el trabajo.

dudar	negar	no creer
no es cierto	no estar seguro/a de	

1. A él le cae bien ese viajante.

   _____

2. Un gerente siempre dice la verdad.

   _____

3. Nosotros nos ponemos a jugar en el trabajo.

   _____

4. Hay mucho desempleo en los EE. UU.

   _____

5. Las vendedoras siempre trabajan a comisión.

   _____

6. Pedro Manuel es el mejor empleado de nuestra compañía.

   _____

7. Esa intérprete sabe español.

   _____

8. Todos nosotros siempre leemos el horario de trabajo.

   _____

9. Los psicólogos ayudan a sus pacientes.

   _____

10. Ese arquitecto diseña carros.

   _____

11-8 Preguntas personales. Your opinion always counts. Answer the following questions with complete sentences in Spanish.

1. ¿Crees que hay mucho desempleo en los EE. UU.?

   _____

   _____

2. ¿Crees que es importante ser bilingüe para conseguir un puesto? Explica.

   _____

   _____

3. ¿Es cierto que una persona siempre debe de tener una meta? ¿Por qué sí o por qué no?

   _____

   _____

4. ¿Crees que ser médico es muy difícil? Explica.

   _____

   _____

5. ¿Crees que los abogados siempre dicen la verdad? Da tu opinión.

   _____

   _____

6. ¿Crees que es necesario saber de informática para conseguir un buen empleo hoy? ¿Por qué sí o por qué no?

   _____

   _____

2. The subjunctive with impersonal expressions

11-9 El/la jefe/a de personal. You are the personnel director of a large firm and you are describing how you and your staff should conduct yourselves. Fill in the blanks with the correct form of the verbs in parentheses.

1. No es malo (hablar) _____ con los supervisores.

2. Es necesario que tú (mirar) _____ el horario de trabajo.

3. Es indispensable que tú (conseguir) _____ clientes.

4. Es importante que ustedes (leer) _____ algo sobre la empresa.

5. Es mejor que todos nosotros (saber) _____ cuáles son nuestras

    responsabilidades.

6. Siempre es bueno que usted (conocer) _____ al gerente.

7. Es urgente que ustedes (ser) _____ siempre puntuales.

8. Es preciso que yo les (dar) _____ entrenamiento a todos los empleados.

9. Es bueno que ustedes siempre (decir) _____ la verdad.

10. Es importante que nosotros (trabajar) _____ bien.

11-10 ¡A completar! Complete the following sentences with the correct form of the verb in parentheses.

1. Es cierto que nuestra compañía (tener) _____ muchas metas.

2. Es dudoso que los puestos de esa compañía (ser) _____ mejores que los

    nuestros.

3. Es urgente que los bomberos (apagar) _____ el fuego en ese almacén.

4. Es extraño que allí no (haber) _____ buenos carpinteros.

5. Es obvio que un arquitecto (diseñar) _____ edificios.

6. Es importante que la supervisora siempre (estar) _____ temprano en el

    trabajo.

7. Es mejor que el gerente me (subir) _____ el sueldo.

8. No es preciso que la cartera (venir) _____ temprano hoy.

9. Es difícil (hacer) _____ dos trabajos diariamente.

10. Es una lástima que tu hermana y tú no (conseguir) _____ ese puesto.

11. Es fácil (trabajar) _____ a comisión.

12. Es bueno que los empleados (conocer) _____ a los supervisores.

13. En una compañía internacional es indispensable (saber) _____ dos idiomas.

14. Es posible que nos (dar) _____ un buen sueldo.

15. Es malo que los empleados (conversar) _____ mucho en el trabajo.

16. Es necesario (llegar) _____ a tiempo al trabajo.

17. Es cierto que yo (reparar) _____ computadoras.

18. Es increíble que ese vendedor no (vender) _____ más.

19. Es imposible que los peluqueros (sacar) _____ muelas.

20. No es dudoso que ellas (estudiar) _____ para ser psicólogas.

11-11 Entrevista. Imagine that you are the president of an important corporation and you are being interviewed by a group of students. Answer their questions with complete sentences in Spanish.

1. ¿Qué es importante para conseguir un buen puesto?

   _____

2. ¿Qué es indispensable en su compañía?

   _____

3. ¿Qué es necesario para ser un buen gerente?

   _____

4. ¿Qué es evidente en un buen empleado?

   _____

5. ¿Es cierto que las personas bilingües están mejor preparadas?

   _____

11-12 La despedida de Miguel. The company is about to fire Miguel. His friend, Ricardo, wants to help him but his other friend, José, is reluctant. Find out what happens by completing the dialog with the correct form of each verb in parentheses.

RICARDO: ¿Oíste lo que le (1)_____ (pasar) a Miguel Griffin?

JOSÉ: No, ¿qué es lo que le (2)_____ (ocurrir)?

RICARDO: Es seguro que el gerente no lo (3)_____ (querer) más.

JOSÉ: Bueno, pero es verdad que Miguel (4)_____ (ser) muy

perezoso y muy arrogante.

RICARDO: Es increíble que tú (5)_____ (decir) eso de Miguel.

JOSÉ: ¡Cómo es posible que tú (6)_____ (ser) tan tonto!

RICARDO: Mira, es mejor que nosotros (7)_____ (llamar) a la

supervisora.

JOSÉ: Sí, pero es probable que ella no nos (8)_____ (escuchar).

RICARDO: Entonces, es indispensable que tú (9)_____ (hablar) con el

gerente. Tú lo (10)_____ (conocer) a él y

(11)_____ (ser) su amigo.

JOSÉ: Sí, pero es posible que él (12)_____ (estar) de vacaciones.

RICARDO: Es evidente que tú (13)_____ (ser) un mal amigo y no

(14)_____ (querer) ayudar a Miguel.

JOSÉ: Es una lástima que tú (15)_____ (hablar) tan mal de mí.

RICARDO: Mira, es mejor que tú no (16)_____ (decir) esas cosas.

JOSÉ: Bueno, es obvio que tú y yo (17)_____ (tener) muchas

diferencias. ¡Hasta luego!

¡Así es la vida!

11-13 En busca de empleo. Reread the letter and interview on page 370 of your textbook and answer the following questions with complete sentences in Spanish.

1. ¿Quién es Isabel Urquiza Duarte?

   _____

2. ¿Por qué lee ella los avisos clasificados?

   _____

3. ¿En qué se especializa Isabel?

   _____

4. ¿Cómo se considera ella?

   _____

5. ¿Qué incluye ella con su carta de presentación?

   _____

6. ¿Quién es el Sr. Posada?

   _____

7. ¿Por qué quiere trabajar Isabel para esta empresa?

   _____

8. ¿Qué pregunta le hace Isabel al señor Posada?

   _____

9. ¿Consiguió Isabel el puesto? ¿Por qué?

   _____

¡ASÍ LO DECIMOS!

11-14 La carta de presentación. Complete the letter below with words and expressions from the following list.

calificaciones	capaz	currículum vitae
Estimada	honrado	La saludo atentamente
experiencia práctica	referencia	solicitud de empleo
recomendación	vacante	

(1) _____ señora:

Le escribo esta carta para presentarme y para solicitar la (2)_____ de

contador que se anunció en *El Mundo*. Yo tengo mucha (3)_____ y mis

(4)_____ son numerosas, como usted puede ver en el

(5)_____ que adjunto. He incluído tres cartas de

(6)_____ y la (7)_____ que me envió su secretaria.

También incluyo el nombre de mi supervisor que sirve de (8)_____. Espero

tener la oportunidad de entrevistarme con usted. Soy muy (9)_____ y

(10)_____. Esperando su respuesta a la presente,

(11)_____,

Rodrigo Rodríguez

11-15 ¿Qué haces? Tell what you do in the following situations in complete sentences in Spanish.

MODELO: Tu jefe no te da un aumento de sueldo.
          Busco otro puesto.

1. Tienes una entrevista muy importante.

   _____

2. Recibes una mala evaluación de tu supervisor.

   _____

3. Tu jefe no te quiere ascender.

   _____

4. Tu mejor amiga recibió el puesto que tu querías.

   _____

5. Recibiste una bonificación anual muy grande.

_____

6. Tu jefa despide a tu mejor amigo.

_____

7. No recibiste el aumento que esperabas.

_____

8. La empresa te va a enviar a un país hispano.

_____

¡ASÍ LO HACEMOS!

Estructuras

3. The past participle and the present perfect indicative

11-16 ¿Qué han hecho estas personas? Write the answers that might be given for the questions below. Use object pronouns when necessary to avoid repetition.

MODELO: ¿Has ido al despacho?
          Sí, he ido al despacho.

1. ¿Has firmado la carta?

_____

2. ¿Han recibido el aumento nuestros empleados?

_____

3. ¿Ha rellenado usted la solicitud de empleo?

_____

4. ¿Has contratado al aspirante?

_____

5. ¿Han dejado ustedes de trabajar?

_____

11-17 Hay muchas cosas que hacer. Tell what the following people have already done today. Use the subjects given and the present perfect of the indicated verbs.

MODELO: Francisco / despedir a los empleados
          Francisco ha despedido a los empleados.

1. nosotros / establecer un plan de retiro

   _____

2. Fernando / dejar el trabajo

   _____

3. yo / escribir una carta de recomendación

   _____

4. Felipe / comprar un seguro de vida

   _____

5. mis amigos / ir al despacho

   _____

6. yo / ver al aspirante

   _____

7. ¿tú / cubrir la vacante?

   _____

8. nosotros / volver de la agencia de empleos

   _____

11-18 En la empresa. Your boss is telling you that the following things need to be done. Respond following the model.

MODELO: Tiene que enviarle la solicitud de empleo al aspirante.
   Se la he enviado. Ya está enviada.

1. Tiene que darle la recomendación al Sr. Gómez.

   _____

2. Tiene que escribirle el contrato al cliente.

   _____

3. Tiene que rellenarme el formulario.

   _____

4. Tiene que revisarle el expediente al aspirante.

   _____

5. Tiene que cambiarles las evaluaciones a ellas.

   _____

11-19 ¡Hecho! Complete the paragraph with the past participle of the verb in parentheses. Make agreement changes when necessary.

1. Mi seguro médico está (cubrir) _____.

2. La solicitud de empleo está (componer) _____.

3. La agencia de empleo está (abrir) _____.

4. Las evaluaciones están (escribir) _____.

5. El formulario y la carta de recomendación ya están (preparar) _____.

6. El presupuesto está (hacer) _____.

7. El problema con los empleados está (resolver) _____.

8. Los avisos clasificados ya están (poner) _____.

9. El aspirante no sabe nada, está (perder) _____.

10. La jefa está muy (ocupar) _____.

4. The present perfect subjunctive

11-20 Mi amiga Olga. Your friend Olga is quite trusting while you tend to have your doubts about people. Respond to Olga's suppositions using the present perfect subjunctive and the cues provided.

MODELO: Es seguro de que Marcos ha leído los avisos clasificados. (Dudo)
Dudo que Marcos haya leído los avisos clasificados.

1. Creo que el gerente ha hecho las evaluaciones hoy. (No estoy seguro)

   _____

2. Creo que el jefe ha estado en la oficina hoy. (No es cierto)

   _____

3. Me imagino que el jefe ya ha revisado los expedientes. (Niego)

   _____

4. ¡Por fin él ha conseguido trabajo! (No es verdad)

   _____

5. ¿Es verdad que los otros empleados han preparado el formulario? (Dudo)

   _____

6. ¡Qué bien que ellos le han escrito la carta a la supervisora! (Es dudoso)

   _____

7. Es cierto que ellos han enviado la solicitud de empleo. (No creo)

   _____

8. ¡Menos mal que (*Thank goodness*) Sandra ha rellenado el formulario! (No es cierto)

   _____

11-21 En la compañía. How is everything going in the company? Form complete sentences using the present perfect subjunctive and the cues provided. Make all necessary changes and follow the model.

MODELO: Yo / dudar / el coordinador / buscar / empleados
    Yo dudo que el coordinador haya buscado empleados.

1. tú / esperar / empleado / hacer / bien las cuentas

    _____

2. nosotros / dudar / la aspirante / tomar / examen

    _____

3. la directora / esperar / nosotros / traer / formularios

    _____

4. los gerentes / no creer / yo / decir / esas cosas

    _____

5. la supervisora / no creer / tú / poner / mensaje / en el despacho

    _____

6. ustedes / temer / gerente / oír / sus comentarios

    _____

7. ellos / esperar / la jefa / dar / un / aumento

    _____

8. nosotros / no estar seguro / usted / tener / seguro médico

    _____

9. el jefe / alegrarse de / nosotros / limpiar / despacho

    _____

10. yo / esperar / tú y tu hermano / conseguir / más clientes

    _____

11-22 ¡A completar! Complete the following sentences with the present perfect subjunctive or indicative, as needed.

1. Creo que los formularios (ser) _____ necesarios.

2. No es seguro que la coordinadora nos (ayudar) _____.

3. Dudo que las compañías (cambiar) _____ mucho.

4. Es verdad que los viajantes (vender) _____ mucho nuestros productos.

5. Es cierto que muchos empleados (recibir) _____ aumentos de sueldo este

   año.

6. Espero que ellos (buscar) _____ la información en los avisos clasificados.

7. Creo que las evaluaciones (ser) _____ una necesidad.

8. Creo que las ventas (bajar) _____.

9. Es obvio que la jefa _____ muchos problemas. (resolver)

10. Temo que la compañía no _____ muchos empleados. (tener)

11. Creemos que el supervisor _____ nuestra compañía perfectamente.

    (conocer)

12. ¡Espero que las directoras nos _____ aumentos de sueldo! (dar)

13. No es verdad que todas las empleadas _____ temprano hoy. (llegar).

14. Es imposible que las aspirantes _____ en el despacho. (estar)

15. El gerente espera que muchos empleados _____ a sus puestos. (volver)

Segunda fase. How are the two agreements you researched similar? How are they different? How do they compare to NAFTA? Write at least four comparisons (two similarities, two differences) answering these questions in Spanish.

1. _____

_____

2. _____

_____

3. _____

_____

4. _____

_____

11-25 El gaucho: un oficio temprano. The **gaucho** is an Argentine tradition that has inspired many poets, artists, and historians. Read the following passage about the origin of the **gaucho**, then answer the questions.

Los conquistadores españoles trajeron millares de animales domésticos al Nuevo Mundo. Hacia el año 1650, muchos de estos animales escaparon del control de las ciudades coloniales. Se escaparon al desierto, o sea el territorio salvaje, habitado por los grupos aborígenes prehispánicos.

Muchas personas urbanas tenían grandes intereses económicos en esas vacas y caballos del desierto, por el precio de su cuero (*hide*). Pero, ¿quién podía atraparlos y sacarles el cuero en medio del territorio aborigen?

De allí nació una tradición argentina -el gaucho. Los gauchos eran de origen diverso: criollos, portugueses, mestizos, negros. Salían al desierto en busca del cuero de las bestias en grupos de aproximadamente diez gauchos. Un buen flete (caballo), un recado (montura o *saddle*) y un avío (provisiones) le eran indispensables al gaucho para sobrevivir en las Pampas.

Estas expediciones se llamaban vaquerías. En el siglo XVII se convirtieron en un sólido ingreso económico para las colonias, cuando los cueros se empezaron a exportar a Europa. El negocio de la exportación de cueros creció de una manera asombrosa: en 1605 se exportaron 50 cueros, en 1625, se 27.000 y en 1670, 380.000.

El primer eslabón de esta cadena comercial eran los gauchos. Los jinetes (*riders*) del desierto perseguían los animales dentro de las tierras de los aborígenes. Atrapaban los animales y rápido se bajaban de su flete para apoderarse del cuero, desechando el resto del animal.

El rasgo que los distinguía como grupo era su habilidad de jinetes y el cuidado y respeto que sentían por sus caballos. Estas destrezas y actitudes nacieron con las primeras vaquerías, pero aún podemos verlas en la actualidad.

1. ¿Qué situación dio paso a (*gave way to*) la profesión del gaucho?

   _____

2. ¿Qué llevaba siempre el gaucho en sus expediciones?

   _____

3. En tu opinión, ¿quién se beneficiaba más del trabajo del gaucho?

   _____

4. ¿Qué aspectos del trabajo del gaucho serían muy criticados hoy en día?

   _____

5. ¿Con qué tradición estadounidense podemos comparar la de los gauchos y las vaquerías?
   Explica algunas semejanzas y diferencias.

   _____

   _____

   _____

LECCIÓN 12

El futuro es tuyo

PRIMERA PARTE

¡Así es la vida!

12-1 El impacto de la tecnología. Reread the discussion on page 395 of your textbook and answer the following questions with complete sentences in Spanish.

1. ¿Qué cosas tecnológicas son parte de nuestra vida diaria?

   _____

   _____

2. ¿Qué efecto ha tenido la tecnología en Hispanoamérica?

   _____

   _____

3. ¿Quién es Lorenzo Valdespino?

   _____

   _____

4. ¿Por qué no podría trabajar él sin la computadora?

   _____

   _____

5. ¿Qué usa Lorenzo para sus asuntos personales?

   _____

   _____

6. ¿Cómo se comunicará él con sus padres?

   _____

   _____

7. ¿Cómo revolucionó la tecnología el trabajo en la oficina de Hortensia?

_____

_____

8. ¿Qué usaban para enviar un mensaje urgente antes? ¿Y ahora?

_____

_____

9. ¿Quién es Adolfo Manotas Suárez? ¿Dónde trabaja?

_____

_____

10. ¿Para qué usa él un programa de computadora?

_____

_____

11. ¿Qué más sabe, gracias a la computadora?

_____

_____

12. ¿De qué otra manera lo ha ayudado la tecnología?

_____

_____

¡ASÍ LO DECIMOS!

12-2 Palabras relacionadas. For each verb below write a noun that can be associated with it from **¡Así lo decimos!**

1. sembrar _____

2. fotocopiar _____

3. grabar _____

4. programar _____

5. manejar _____

6. transmitir _____

7. llamar _____

8. imprimir _____

Nombre: _____   Fecha: _____

12-3 ¡A completar! Complete the following statements with words or expressions from **¡Así lo decimos!**

1. El banco está cerrado pero puedo usar el _____ para sacar dinero.

2. Hoy no es necesario esperar las llamadas telefónicas porque el _____ puede _____ todos los mensajes.

3. Yo acabo de comprar un _____ y me gusta mucho. Puedo hablar con mis amigos desde el jardín.

4. A mi esposo le gusta mucho la _____ , porque puede ver muchos partidos que no se transmiten por los canales.

5. La _____ de manzanas será muy buena este año.

6. Para hacer correctamente mis cuentas, tengo que usar una _____ .

7. A mí me gusta mucho la _____ porque ahora ya no es necesario ir al cine para ver una película.

8. Mi amigo es agricultor. Trabaja en la _____ de su padre. Me dice que hoy en día no es necesario _____ todos los trabajos porque hay mucha _____ nueva.

9. Antes compraba discos o cintas de mi música favorita. Hoy compro _____ .

10. No lo pude ver en la _____ de mi microcomputadora.

12-4 La computadora y sus accesorios. Identify each numbered item in the illustration below. Then write sentences using the words.

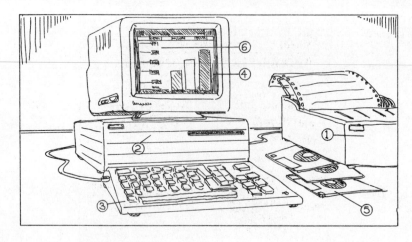

1. _____

_____

2. _____

_____

3. _____

_____

4. _____

_____

5. _____

_____

6. _____

_____

12-5 El altar de la tecnología. Read the advertisement and answer the following questions with complete sentences in Spanish.

1. ¿Qué equipos electrónicos se venden?

   _____

   _____

2. ¿Qué se puede hacer por 500 dólares?

   _____

   _____

3. ¿Cómo se puede recibir un regalo?

   _____

   _____

4. Además de un regalo, ¿qué otras cosas ofrece la tienda?

   _____

   _____

5. ¿Cómo se llama la tienda y cuál es su número de teléfono?

   _____

   _____

¡ASI LO HACEMOS!

Estructuras

1. The future and the future perfect tenses

12-6 En el centro de cómputo. You are the director of the computer center at your institution. Here is what everyone is going to do. Rewrite the following sentences using the future tense. Follow the model.

MODELO: Gregorio va a usar el escáner.
           Gregorio usará el escáner.

1. Rosalía va a hacer los diseños en la computadora.

   _____

2. Manuel Antonio va a imprimir las cartas.

   _____

3. José y Alejandro van a instalar el disco duro.

   _____

4. Tú vas a poner la información en la hoja electrónica.

   _____

5. Luisa y yo vamos a mirar la pantalla.

   _____

6. Todos nosotros vamos a leer los mensajes en el correo electrónico.

   _____

7. Francisco y Emilio van a venir a ver el procesador de textos.

   _____

8. Nuestros asistentes les van a dar las instrucciones.

   _____

9. Carmen y su hermana van a archivar todo.

   _____

12-7 En la oficina. Imagine that you work at an office. Tell what work each person is going to do, using the correct form of the future of each verb in parentheses.

1. Joaquín (escribir) _____ cartas en el procesador de textos.

2. Ramiro y Conrado (poner) _____ las cuentas en la hoja electrónica.

3. Ella le (decir) _____ a la supervisora si hay mensajes por correo

   electrónico.

4. María Amalia (leer) _____ un fax.

5. Juan y tú (sacar) _____ copias en la fotocopiadora.

6. Yo (usar) _____ el escáner.

7. Ustedes (buscar) _____ la información en la Red Informática.

8. La directora (comunicarse) _____ con los clientes por teléfono celular.

9. Enrique y yo (ver) _____ los diseños en la pantalla.

10. Todos nosotros (preparar) _____ los trabajos en la computadora.

12-8 Mi amiga y yo. Rewrite the following paragraph about two friends and their plans using the future tense.

Mi amiga Gertrudis y yo asistimos a la universidad. Gertrudis toma cursos de informática. Yo solamente voy a tomar clases de lenguas extranjeras. Ella aprende a hacer diseños en la computadora. Yo sólo quiero aprender a usar la Red Informática. Gertrudis y sus otras amigas van a las clases por la mañana. Yo tengo que ir por la noche. Nos divertimos mucho en la universidad. ¿Qué estudias tú en la universidad?

_____

_____

_____

_____

_____

_____

_____

_____

12-9 Conjeturas. Imagine that you and your friends are going to have a new boss at the office. Answer the following questions using the future of probability. Be as creative as possible.

1. ¿Quién será el nuevo jefe?

   _____

2. ¿Cómo será él/ella?

   _____

3. ¿De dónde vendrá?

   _____

4. ¿Qué planes tendrá?

   _____

5. ¿Qué hará con los empleados?

   _____

12-10 La nueva jefa. Imagine that the new boss is a very demanding person. Here is what she expects everyone to have done by a certain time. Use the future perfect form of the verb in parentheses.

1. Todos nosotros (llegar) _____ al trabajo a las ocho de la mañana.

2. La programadora (hacer) _____ los diseños a las nueve.

3. Tú (traer) _____ las hojas electrónicas a las diez.

4. Ella (llamar) _____ a los clientes antes de las diez y media.

5. Ustedes (poner) _____ el informe sobre el escritorio a las once.

6. La secretaria (imprimir) _____ las cartas a las doce.

7. Los supervisores (tener) _____ la información a las doce y media.

8. Todos los empleados (almorzar) _____ antes de la una.

9. Tú (tener) _____ la lista de clientes en la pantalla a las tres.

10. Todos los empleados (salir) _____ del trabajo antes de las cinco.

12-11 ¡A completar! Complete the following exchanges with the correct future perfect form of the verb in parentheses.

1. — ¿(Aprender) _____ ustedes a enviar un fax antes de las once de la mañana?

   — Por supuesto, nosotros (enviar) _____ un fax antes de esa hora.

2. — ¿(Archivar) _____ tú la información antes del martes?

   — Sí, (tener) _____ tiempo para hacerlo todo antes del martes.

3. — ¿(Escribir) _____ usted la carta por correo electrónico en una hora?

   — ¡Cómo no! La (hacer) _____ en media hora.

4. — ¿(Instalar) _____ ellos el contestador automático antes del almuerzo?

   — No sé si ellos (terminar) _____ de instalar el contestador automático

   antes del almuerzo.

5. — ¿(Poder) _____ recoger Pedro y su hermana el disquete hoy?

   — Seguro, ellos (recoger) _____ el disquete esta mañana.

2. The subjunctive with *ojalá, tal vez,* and *quizás*

12-12 La situación en la empresa. Use the words below in the order given to make statements about the situation in your company. Be sure to make any necessary changes and add any needed words.

MODELO: ojalá / gerente / comprar / más microcomputadoras
Ojalá que el gerente compre más microcomputadoras.

1. tal vez / fotocopiadora / funcionar bien

   _____

2. ojalá / programas / estar / buenas condiciones

   _____

3. quizás / impresora / ser / excelente

   _____

4. ojalá / fax / llegar / temprano

   _____

5. quizás / computadora / no borrar / información

_____

6. tal vez / hojas electrónicas / tener / todas las cuentas

_____

7. ojalá / todos / empleados / ver / pantalla

_____

8. tal vez / videograbadora y disco compacto / llegar / hoy

_____

9. quizás / la empleada / recoger / fax

_____

10. ojalá / todos / tener / dos / calculadoras

_____

12-13 ¿Qué esperas? Write six things that you hope will occur in this year. Begin your sentences with **ojalá**.

MODELO: _¡Ojalá que tengamos más vacaciones!_

1. _____
2. _____
3. _____
4. _____
5. _____
6. _____

SEGUNDA PARTE

¡Así es la vida!

12-14 Hablan los jóvenes. Reread the opinions of the people on page 411 of your textbook and indicate whether the following sentences are **cierto (C)** or **falso (F)**. If a statement is false, write the correction in the space provided.

C   F   1. A los jóvenes de Hispanoamérica no les importa el medio ambiente.

_____

C   F   2. No hay mucha industria en estos países.

_____

C   F   3. Los gobiernos de estos países se han preocupado mucho por proteger los

recursos naturales.

_____

LILIANA HAYA SANDOVAL

C   F   4. La contaminación del aire no es un problema en la Ciudad de México.

_____

C   F   5. Los carros y los camiones producen mucha contaminación.

_____

C   F   6. Respirar el aire de la Ciudad de México no causa problemas.

_____

C   F   7. El gobierno no toma las medidas necesarias para resolver el problema de la

contaminación.

_____

MARÍA ISABEL CIFUENTES BETANCOURT

C   F   8. El problema de las enfermedades epidémicas no existe en América del Sur.

_____

C   F   9. La contaminación del agua causa el cólera.

_____

C   F   10. Es necesario mejorar las medidas de higiene para eliminar el cólera.

_____

FERNANDO SÁNCHEZ BUSTAMANTE

C   F   11. Un problema importante en Costa Rica es la pérdida de los árboles.

_____

C   F   12. Hoy el 50% del país está cubierto de bosques tropicales.

_____

C   F   13. La producción de oxígeno depende de la región tropical.

_____

C   F   14. El gobierno costarricense controla estrictamente el desarrollo industrial.

_____

¡ASI LO DECIMOS!

12-15 ¡A escribir! Write a complete sentence that shows the meaning of each word below.

basurero	lluvia ácida	atmósfera	desecho
escasez	energía	contaminación	fábrica

1. _____

2. _____

3. _____

4. _____

5. _____

6. _____

7. _____

8. _____

12-16 ¡A completar! Complete each statement below with a word or expression from **¡Así lo decimos!**

1. En vez de arrojar todos los desechos, hay que organizar un programa de

   _____.

2. Si una fábrica no obedece bien las leyes contra la contaminación, hay que ponerle una

   _____.

3. El agua, el aire y las selvas forman parte de la _____.

4. Si hay muy poco de alguna cosa, se dice que hay _____ de esa cosa.

5. Según muchos, la gente de los EE.UU. tiene que aprender a _____

   _____ menos y a _____ más.

6. Si la despoblación forestal es un problema, hay que empezar un programa de

   _____.

7. Si se escapa _____ de una planta nuclear, puede contaminar el aire.

8. Para conservar más, la ciudad de Seattle decidió _____ un programa

   enorme de reciclaje.

9. Los miembros del comité están _____ a escuchar nuevas soluciones.

10. La _____ para controlar la despoblación forestal es multar a las

    organizaciones que destruyan los bosques.

12-17 Cuestionario. What are your thoughts about the environment and how to improve it? Answer the questions below with complete sentences in Spanish.

1. ¿Cuál es el problema más serio que afecta al medio ambiente?

   _____

2. ¿Qué soluciones puedes ofrecer?

   _____

3. ¿Cómo se pueden proteger los bosques y las selvas tropicales?

   _____

4. ¿Qué prefieres, desarrollar la energía solar o continuar con las plantas nucleares? ¿Por qué?

_____

5. ¿En qué circunstancias se debe poner una multa a una industria?

_____

¡ASÍ LO HACEMOS!

Estructuras

3. The subjunctive and the indicative with adverbial conjunctions

12-18 Una jefa exigente. You and your friends work as interns at a computer firm and have a demanding supervisor. Complete what she says with the correct form of each verb in parentheses.

1. Guillermo, encienda la computadora antes de que nosotros (empezar)

   _____ a trabajar.

2. Pedro Arturo, ponga los datos en la hoja electrónica a fin de que la compañía (tener)

   _____ la información.

3. Amalia y Zenaida, calculen las cuentas a menos de que el gerente les (decir)

   _____ que no.

4. Martín y Catalina, impriman bien los números en caso que ustedes los (necesitar)

   _____.

5. Ramón y tú lean bien las instrucciones para que no (haber) _____ errores.

6. No hagas nada sin que yo lo (saber) _____.

7. Ustedes no comiencen el trabajo a menos que yo (buscar) _____ la

   información.

8. Yo los voy a ayudar con tal que todos ustedes (querer) _____ aprender.

12-19 Un problema con la tecnología. Using the conjunctions in parentheses, combine each pair of statements to discover what problems Monguito encounters with technology. Use the present indicative or present subjunctive and follow the model.

MODELO: Monguito irá al banco. Sale del trabajo. (después de)
Monguito irá al banco después de que salga del trabajo.

1. Normalmente, él entra en el banco. Recibe su cheque. (cuando)

   _____

2. Él va a usar el cajero automático. Llega al banco. (tan pronto como)

   _____

3. Él firmará su tarjeta. Deposita el cheque. (antes de)

   _____

4. Él saca una calculadora. Su esposa sabe cuanto dinero tienen en el banco. (para que)

   _____

5. El cajero automático hace mucho ruido. Pone su tarjeta. (en cuanto)

   _____

6. Monguito necesita entrar al banco. El cajero sabe que no funciona el cajero automático. (a fin de que)

   _____

7. Él no se quiere ir del banco. Alguien le devuelve su tarjeta. (sin que)

   _____

8. Él tiene que esperar un rato. El técnico repara la máquina. (hasta que)

   _____

9. Otro empleado le dice que no es necesario esperar. Él querer llevarse la tarjeta ahora mismo. (a menos que)

   _____

   _____

10. Monguito decide salir. El banco le envía la tarjeta a su casa. (con tal que)

   _____

12-20 En la oficina. Who does what in the office? Rewrite each statement by changing the first verb to the future and making any other necessary changes.

MODELO: Hablé con él cuando pude.
Hablaré con él cuando pueda.

1. Yo transmití la información mientras ella calculó el precio.

   _____

2. Contamos el dinero hasta que el jefe llegó.

   _____

3. Ana fotocopió la información cuando tuvo tiempo.

   _____

4. Imprimieron el folleto aunque ella lo diseñó.

   _____

5. Encendió la computadora luego que entró.

   _____

6. El técnico instaló la fotocopiadora, tan pronto como recibió el dinero.

   _____

12-21 ¡A completar! Complete each statement below with the subjunctive, indicative (present or preterit), or infinitive form of the verb in parentheses.

1. Usarán energía solar para (conservar) _____ petróleo.

2. La deforestación continuará a menos que nosotros (hacer) _____ algo.

3. Expliquen bien las causas del cólera para que ellos (practicar) _____ mejores medidas.

4. El gobierno multó a la compañía después de que ésta (contaminar) _____ el aire.

5. Aunque el reciclaje (costar) _____ mucho, valdrá la pena.

6. Diseñaremos nuevos envases de aluminio tan pronto como (recibir) _____ el dinero.

7. No habrá aire puro hasta que nosotros no (proteger) _____ los bosques tropicales.

8. La lluvia ácida terminó en cuanto el gobierno (tomar) _____ las medidas necesarias.

9. No podemos nadar en el mar mientras que las personas (arrojar) _____ basura.

10. No vaya a ese país en caso que (haber) _____ cólera.

11. Los agricultores usan pesticidas sin que el gobierno lo (saber) _____.

12. Emprenderemos un programa de reciclaje, luego que (tener) _____ los recursos económicos.

12-22 Mis ideales. Complete the following paragraph using the correct form of the verb in parentheses.

Yo (1)_____ (ser) un/a idealista y mi plan (2)_____ (ser) el

de mejorar el medio ambiente tan pronto como (3)_____ (ser) posible. Primero

comenzaré un programa de reciclaje para que nadie (4)_____ (echar) basura a la

calle. Luego, emprenderé una campaña para multar a todas las fábricas, a menos que ellas

(5)_____ (tomar) medidas para no contaminar el ambiente. Después de que mi

programa (6)_____ (tener) éxito, trataré que todos los ciudadanos

(7)_____ (proteger) el medio ambiente. Trabajaré siempre para que todos nosotros

(8)_____ (hacer) y (9)_____ (tener) un mundo mejor.

TALLER

12-23 Mis acciones

Primera fase. You may not feel like an activist for the environment, but even the most "ordinary" citizen does more out of habit to protect the environment than the average citizen twenty-five to thirty years ago. Make a list in Spanish of the environmentally friendly things that you do now. (The check boxes are for the **Segunda fase**.)

	SÍ	NO
_____	____	____
_____	____	____
_____	____	____
_____	____	____
_____	____	____
_____	____	____
_____	____	____
_____	____	____
_____	____	____

Segunda fase. Now, review each activity from the **Primera fase** and mark whether or not someone your age would probably do those things twenty-five to thirty years ago. If possible, interview someone who could tell you.

12-24 Centros de reciclaje. Environmentally friendly movements are catching on in many different parts of the world. Use your Internet search engine to look up **reciclaje**. Make a list of at least five different programs you find in Spanish in the U.S., Canada, and Spanish-speaking countries. Include information in Spanish on what the program does or is for.

PROGRAMA: _____   PAÍS / CIUDAD: _____

PRODUCTOS / SERVICIOS: _____

_____

_____

_____

PROGRAMA: _____   PAÍS / CIUDAD: _____

PRODUCTOS / SERVICIOS: _____

_____

_____

_____

PROGRAMA: _____   PAÍS / CIUDAD: _____

PRODUCTOS / SERVICIOS: _____

_____

_____

_____

PROGRAMA: _____   PAÍS / CIUDAD: _____

PRODUCTOS / SERVICIOS: _____

_____

_____

PROGRAMA: _____ PAÍS / CIUDAD: _____

PRODUCTOS / SERVICIOS: _____

_____

_____

_____

12-25 Más allá de las páginas: Los barrios latinos. Many residents of urban developments work to revitalize neighborhoods like the one in which the narrator of *La casa en Mango Street* lives. They try to instill pride and cultural identity through physical improvements to housing, museums, parks, murals, and community projects. Look up Hispanic neighborhoods in larger cities on the Internet or through library resources. Many of these **barrios** have web sites. Find at least two, and make a list in Spanish of things that the residents are doing to revitalize their community.

LA CIUDAD: _____ EL BARRIO: _____

_____

_____

_____

_____

_____

LA CIUDAD: _____ EL BARRIO: _____

_____

_____

_____

_____

_____

LECCIÓN 13

¿Oíste las noticias?

PRIMERA PARTE

¡Así es la vida!

13-1 ¿Recuerdas? Answer the question in Spanish using complete sentences according to page 431 of your textbook.

1. ¿Dónde tuvo lugar la IX Cumbre Iberoamericana?

   _____

2. ¿Qué hizo José María Aznar en la embajada española?

   _____

3. ¿Qué quieren ellos que haga el Rey Juan Carlos?

   _____

4. ¿Qué espera y desea Aznar?

   _____

5. ¿Qué les prometió Aznar a ellos?

   _____

6. ¿Qué hizo Magaly Armas?

   _____

7. ¿Qué tienen en común Félix Bonne, Marta Beatriz Roque y René Gómez Manzano?

   _____

8. Según Aznar, ¿cuándo habrá un cambio en Cuba?

   _____

¡ASÍ LO DECIMOS!

13-2 Los medios de comunicación. Write ten logical statements about television and newspapers using one word from the left column and one word from the right. Use each word at least once.

la comentarista	el certamen
el crítico	la crónica
el lector	la emisora
el meteorólogo	el noticiero
el patrocinador	el periódico
el radioyente	la primera plana
la reportera	la reseña
el televidente	la revista
las tiras cómicas	la televisión
el titular	el tiempo

1. _____

2. _____

3. _____

4. _____

5. _____

6. _____

7. _____

8. _____

9. _____

10. _____

13-3 Las secciones del periódico. Write the name of the newspaper section you would turn to in these situations.

1. Buscas un trabajo. _____

2. Buscas el resultado del partido de béisbol. _____

3. Tienes problemas con tu novio. _____

4. Quieres ir al cine o al teatro. _____

5. Deseas saber tu futuro. _____

6. Necesitas saber la fecha del funeral de un amigo. _____

7. Quieres saber quiénes se casan. _____

8. Deseas saber la opinión del editor. _____

13-4 ¡A escoger! Circle the word that most logically fits in each sentence.

1. A un (televidente, radioyente) le gusta escuchar la radio.

2. Para enterarse de los acontecimientos del día, se lee (una reseña, la primera plana).

3. Mi (cadena, emisora) favorita es WKGB.

4. Un (comentarista, lector) da las noticias a las siete de la noche.

5. La (emisora, telenovela) transmite sus programas todos los días.

6. El periodista (informa sobre, patrocina) las noticias del día.

7. (La cadena, El canal) selecciona los programas.

8. La (patrocinadora, crítica) del certamen paga los gastos del programa.

9. Me divierto mucho cuando leo (la esquela, las tiras cómicas).

10. Voy a leer (el editorial, la editorial) esta tarde.

¡ASÍ LO HACEMOS!

Estructuras

1. The imperfect subjunctive

13-5 Recomendaciones. You just attended a press conference on environmental issues and are telling your friends about it. Complete each statement with the imperfect subjunctive form of the verb in parentheses.

1. El señor nos dijo que. . .

   (conservar) _____ más energía.

   no (arrojar) _____ tantos deshechos.

   (consumir) _____ menos petróleo.

   (proteger) _____ el planeta.

2. Insistió en que cada ciudad. . .

   (tener) _____ un programa de reciclaje.

   (multar) _____ a algunas fábricas.

   (explicarle) _____ a la población la importancia del reciclaje.

   no (contribuir) _____ a la contaminación del medio ambiente.

3. Quería que todos los niños. . .

   (aprender) _____ a conservar energía.

   (asistir) _____ a un programa de reciclaje.

   (estar) _____ informados sobre la repoblación forestal.

   (hacer) _____ algo por el medio ambiente.

4. Dudaba que nosotros. . .

   (poder) _____ eliminar totalmente la contaminación.

   no (querer) _____ participar en la conservación.

   no (hablarles) _____ del programa a nuestros amigos.

   (seguir) _____ contaminando el planeta.

13-6 Un informe. Retell what you heard at the conference. Change the first verb to the imperfect indicative in sentences 1–5 and to the preterit in sentences 6–10. Make any other necessary changes.

MODELO: El líder quiere que consumamos menos petróleo.
          El líder quería que consumiéramos menos petróleo.

1. Él espera que los gobiernos sepan primero que hay un problema.

   _____

2. Él quiere que les escribamos a nuestros compañeros.

   _____

3. También espera que todos aprendan algo de los resultados de la contaminación.

   _____

4. Duda que se pueda resolver la situación inmediatamente.

   _____

5. Teme que no haya muchas soluciones disponibles.

   _____

6. Nos dice que empecemos un programa de reciclaje en el barrio.

   _____

7. Recomienda que comencemos con un grupo pequeño.

   _____

8. Insiste en que yo sea el líder del grupo.

   _____

9. Nos pide que le digamos los resultados.

   _____

10. Sugiere que todos participen para que tengamos éxito.

    _____

13-7 ¡A completar! Complete each sentence with the present or imperfect subjunctive form of the verb in parentheses.

1. Es bueno que nosotros (leer) _____ más periódicos.

2. Me alegré de que tú (ver) _____ que existía un problema.

3. Los comentaristas reclamaban que les (dar) _____ la libertad a los presos.

4. Yo prefiero que la prensa (revisar) _____ las noticias antes de publicarlas.

5. Preferíamos que el gobierno (proteger) _____ la libertad de prensa.

6. Ella me pidió que le (traer) _____ las tiras cómicas.

7. Los reporteros temían que (producirse) _____ problemas entre los presos y el mandatario.

8. No creo que (haber) _____ una mejor revista que ésa.

9. Los televidentes se lamentaron que el canal no (transmitir) _____ la telenovela hoy.

10. Fue indispensable que los radioyentes (darse) _____ cuenta de la disidencia en el país.

11. El periódico le informó a los lectores que no (albergar) _____ esperanzas.

12. Tú esperas que las fotos de tu cumpleaños (estar) _____ en la página social.

13. Dudábamos que las noticias sobre la cumbre (encontrarse) _____ en la primera plana.

14. Necesita que nosotros (analizar) _____ la sección financiera.

15. Esperaba que su esposo (conseguir) _____ trabajo después de leer los avisos clasificados.

2. Possessive adjectives and pronouns (long forms)

13-8 ¿Dónde está(n)? No one can find anything today at the newspaper office. Answer the questions following the model.

MODELO: ¿Dónde está tu reseña?
          ¿La mía? No sé

1. ¿Dónde están mis tiras cómicas?

    _____

2. ¿Dónde están tus fotos?

    _____

3. ¿Dónde está el editorial de Federico?

    _____

4. ¿Dónde están los avisos clasificados de ustedes?

    _____

5. ¿Dónde están tus noticias?

    _____

6. ¿Dónde está nuestro horóscopo?

    _____

7. ¿Dónde está la crónica social del Sr. Gómez?

    _____

8. ¿Dónde están las carteleras de Ana y Paula?

    _____

13-9 ¿De quién es? Answer Ramón's questions using the cues in parentheses and following the model.

MODELO: ¿Es tu revista? (ella)
   No, no es mía, es suya.

1. ¿Es tu emisora? (Eduardo)

   _____

2. ¿Son mis estaciones de radio? (nosotros)

   _____

3. ¿Son los canales de ustedes? (ustedes)

   _____

4. ¿Es mi programa radial? (yo)

   _____

5. ¿Es el noticiero de Graciela? (tú)

   _____

6. ¿Son nuestros radioyentes? (nuestros amigos)

   _____

7. ¿Son mis reseñas? (yo)

   _____

8. ¿Es tu concurso? (él)

   _____

13-10 Demasiada repetición. Rewrite parts of the following conversation using possessive pronouns to eliminate repetition.

MODELO: Mi horóscopo está interesante hoy. ¿Ya leíste tu horóscopo?
          Mi horóscopo está interesante hoy. ¿Ya leíste el tuyo?

—¿Dónde está mi periódico?

—Ni sé. Mi periódico está aquí, pero no he visto tu periódico. ¿Quieres leer una sección de mi periódico?

_____

_____

—No, tu periódico no tiene noticias regionales y no lleva mis columnas favoritas.

_____

—¡Gracias a Dios! Tus columnistas favoritos son extremistas. Mis columnistas favoritos son más razonables y calmados.

_____

_____

—¡Tus columnistas favoritos son aburridos! ¡No dicen nada!

_____

—A veces no entiendo tus opiniones.

—Pues, por lo menos mis opiniones son mis opiniones. Tus opiniones son. . . ¡Tú no tienes opiniones originales! ¿¡Dónde está mi periódico!?

_____

_____

—Pues, no puedo saber dónde está tu periódico… no tengo opiniones.

_____

¡Así es la vida!

13-11 ¿Cierto o falso? Reread **¡Así es la vida!** on page 446 of your textbook and indicate whether the statement is **C** (**cierto**) or **F** (**falso**). If the statement is false, write the correction in the space provided.

C   F   1. Mariah Carey no ha vendido muchos discos.

_____

C   F   2. Mariah tiene sangre venezolana.

_____

C   F   3. Mariah tiene dos hermanas.

_____

C   F   4. Después de cuatro años, ella se divorció de Alfred Carey.

_____

C   F   5. Mariah y Tony Mottola se conocieron en Aspen.

_____

C   F   6. Luis Miguel es un cantante español.

_____

C   F   7. El amor de Luis Miguel y Mariah es un amor a primera vista.

_____

C   F   8. Ahora Luis Miguel y Mariah son muy similares.

_____

C   F   9. La infancia de Mariah fue muy estable.

_____

C   F   10. Mariah sueña con tener una familia.

_____

13-12 ¡A completar! Complete each sentence with the appropriate word from the list below. Make any changes that are necessary.

comedia	escena	espectador	galán	guión
obra de teatro	productor	protagonista	rodaje	ventaja

1. Los _____ gastaron mucho dinero en esa filmación.

2. Las _____ de esa película son muy emocionantes.

3. El _____ de la película fue en España.

4. Él es muy guapo, es el _____ de la telenovela.

5. Los _____ estaban muy emocionados cuando estaban viendo la película.

6. La _____ es que Luis Miguel canta en inglés y en español.

7. Las _____ de Shakespeare son muy interesantes.

8. Me divertí mucho cuando fui a ver esa _____ .

9. ¿Quién escribió el _____ de la película?

10. Al final de la película, la _____ se murió.

13-13 Preguntas personales. Answer the following questions in complete sentences.

1. ¿Cuál es tu película favorita? ¿Por qué?

_____

_____

2. ¿Quién es tu actor / actriz preferido/a y por qué?

_____

_____

3. ¿Cuáles son las cualidades de una buena película?

_____

_____

4. ¿Quiénes ganarán el Óscar este año? Explica.

_____

_____

5. ¿Por qué te gustan o no las telenovelas?

_____

_____

¡ASÍ LO HACEMOS!

Estructuras

3. The conditional and conditional of probability

13-14 La industria cinematográfica. Find out what the movie industry is promising in the new millenium by writing the conditional form of each verb in parentheses.

1. Los galanes (ser) _____ más guapos.

2. Las películas (filmarse) _____ en español.

3. (Haber) _____ más guiones interesantes.

4. (Eliminarse) _____ escenas aburridas.

5. Las películas (tener) _____ más actrices hispanas.

6. El público (pagar) _____ menos por las entradas.

7. La gente (venir) _____ a ver más películas.

8. Los teatros (poner) _____ más películas en español.

9. El público (poder) _____ comer y ver la película al mismo tiempo.

10. Todos nosotros (tener) _____ las entradas gratis.

13-15 El detective. Chanlipó is one of the best movie detectives in the world. Here is a preview from his latest movie *La verdad*. In this preview he is being interviewed by a reporter. Complete the following exchange with the correct conditional form of each verb in parentheses.

REPORTERA: Chanlipó, ¿quiénes (1)_____ (cometer) el crimen?

CHANLIPÓ: (2)_____ (ser) Tacho y Nacho Malosos.

REPORTERA: ¿Por qué lo (3)_____ (hacer)?

CHANLIPÓ: (4)_____ (querer) robarse el dinero.

REPORTERA: ¿A qué hora (5)_____ (ocurrir) el crimen?

CHANLIPÓ: (6)_____ (poder) haber sido a las ocho.

REPORTERA: ¿Adónde (7)_____ (ir) ellos?

CHANLIPÓ: (8)_____ (viajar) a Mongolia probablemente.

REPORTERA: ¿Qué les (9)_____ (pasar) en Mongolia?

CHANLIPÓ: Mis agentes los (10)_____ (capturar) enseguida.

13-16 Una invitación. Complete the following invitation with the correct conditional form of the verb in parentheses.

Roberto y Aurelio, ¿ (1)_____ (querer) ir al cine conmigo? Nosotros

(2)_____ (salir) de mi casa a las ocho y (3)_____ (llegar) al teatro

a las ocho y media. Nosotros (4)_____ (comer) hamburguesas antes de llegar al

cine. Roberto y yo (5)_____ (comprar) las entradas y la entrada de Aurelio

(6)_____ (ser) muy barata porque es menor de edad. La película

(7)_____ (durar) dos horas y luego todos nosotros

(8)_____ (volver) a casa a las once.

13-17 ¿Qué pasó? The actress that you were about to interview for your show did not show up. What happened? Try to offer excuses to your viewers using the conditional of probability.

MODELO: olvidarse de la fecha
               Ella se olvidaría de la fecha.

1. no saber la hora

    _____

2. tener problemas con su coche

    _____

3. ir a otro canal de televisión

    _____

4. perder la dirección

    _____

5. entender mal a la secretaria

    _____

6. estar enferma

    _____

13-18 La lotería. Imagine that you have bought a lottery ticket. Write six things you would do with the money if you won the jackpot.

MODELO: Compraría un carro nuevo.

1. _____

2. _____

3. _____

4. _____

5. _____

6. _____

4. *Si* clauses

13-19 Una conversación entre amigos. Complete the conversation between Toño and Sara, filling in the blanks with the correct form of the verb in parentheses.

TOÑO: Mira, si tú no me (1)_____ (escuchar) no podemos hablar.

SARA: Tienes razón, chico. Voy a escucharte ahora mismo si

(2)_____ (querer).

TOÑO: Bueno, nosotros no tendríamos tantos problemas si la prensa

(3)_____ (ser) más responsable.

SARA: Sí, pero si nosotros no (4)_____ (tener) prensa libre, no se sabría la

verdad.

TOÑO: No sé, pero si se (5)_____ (poder) reportar las noticias sin

sensacionalismo estaríamos mejor informados.

SARA: Es verdad, pero si no lográramos interesar a los televidentes con sensacionalismo,

muchos de ellos nunca (6)_____ (ver) las noticias.

13-20 ¡A cambiar! Change the following statements to show contrary-to-fact situations.

MODELO: Si tengo dinero, iré a ver esa película.
           Si tuviera dinero, iría a ver esa película.

1. Si ella tiene las entradas, la llamaré.

    _____

2. Si soy actor, viviré en Hollywood.

    _____

3. Si puedo ir al teatro, te buscaré a las seis.

    _____

4. Si quiero asistir a la obra de teatro, tendré que leer la reseña.

    _____

5. Si Mariah Carey canta, yo iré al concierto.

    _____

6. Si tú quieres, nosotros veremos la película.

   _____

7. Si ellas tienen amigos, saldrán con ellos al cine.

   _____

8. Si hay mejores actores, se filmarán mejores películas.

   _____

13-21 Tus opiniones. Say what would you do in each situation by completing the statements below.

1. Si tuviera más tiempo, _____

   _____

2. Si yo llegara más temprano, yo _____

   _____

3. Yo trataré de ser actor/actriz si _____

   _____

4. Yo escribiría guiones de películas si _____

   _____

5. Si puedo ayudar a mis amigos a ser productores de películas _____

   _____

6. Yo iría a Hollywood si _____

   _____

7. Si hubiera una compañía de actores aquí, _____

   _____

8. Yo trataría de reseñar esa película, si _____

   _____

TALLER

13-22 Doctora Corazón

Primera fase. Imagine that you write the advice column **Doctora Corazón**. Read the following letter your column received, and list in Spanish the problems the writer has. For each problem, list a possible piece of advice.

Doctora ♥ Corazón

Dra. Corazón

Viajo mucho por mi trabajo. Paso por Miami por lo menos dos veces al mes. Cuando quiero divertirme y hablar con otras personas, voy a una discoteca muy popular que está cerca de mi hotel. En mi último viaje, conocí a una fabulosa mujer que es modelo. Quedamos en que nos encontraríamos al día siguiente para cenar juntos. Me dio su número de teléfono y yo le di el del hotel, por si algo acaso pasaba y no nos pudiéramos encontrar. Ella nunca apareció ni me llamó. Yo la llamé para saber qué había pasado (*had happened*). Otra vez nos citamos para esa noche, pero otra vez me dejó plantado (*stood me up*). ¡No apareció! Estaba enojado y no quería llamarla,

pero un amigo me dijo que quizás algo serio le había pasado y que por lo menos debiera saber si estaba bien. Desde el aeropuerto la llamé. Resultó que no le pasó nada, que solamente no quería verme esa noche y no se había molestado (*had bothered*) en llamarme. Le dije horrores de su manera de comportarse conmigo y lo enojado que yo estaba con ella. Y me fui de Miami. Ahora, acabo de recibir una carta de ella. ¡Parece una carta de amor! Quiere saber cuándo volveré. Quiere recogerme del aeropuerto y pasar todo el tiempo que yo quiera conmigo. ¡No sé qué pensar! ¿Usted entiende esta carta?

Pedro

PROBLEMAS	CONSEJOS
_____	_____
_____	_____
_____	_____
_____	_____

Segunda fase. Now use the lists from the **Primera fase** to organize an answer to Pedro's letter in your advice column.

_____

_____

_____

_____

_____

_____

_____

13-23 Los Paradores. If you were to visit Spain, you might want to stay in one of the more than 80 official **paradores**. Use the Internet or library resources to find out what a **parador** is, how the tradition of a **parador** began, and when they were officially established by the government. Try to find at least three that look interesting to you and list their names, location, and the reasons (in Spanish) why you like them.

DEFINICIÓN: _____

HISTORIA: _____

_____

_____

_____

_____

TRES PARADORES QUE ME INTERESAN: _____

_____

_____

_____

_____

_____

13-24 Más allá de las páginas: RENFE. In *Solos esta noche*, José and Carmen are locked in a subway station. In the larger Spanish cities, residents have many public transportation options. Use the Internet or library resources to find out what **RENFE** is and what it provides. Try to complete the following list in Spanish.

RENFE (DESCRIPCIÓN) _____

SIGNIFICADO DE LAS LETRAS_____

_____

SERVICIOS _____

_____

_____

MÁS INFORMACIÓN: _____

_____

LECCIÓN 14

¡Seamos cultos!

PRIMERA PARTE

Así es la vida

14-1 ¿Recuerdas? Answer the questions in Spanish using complete sentences based on the article on page 465 of your textbook.

1. ¿En dónde vivía Plácido Domingo cuando era pequeño?

   _____

   _____

2. ¿Qué hacían sus padres en México?

   _____

   _____

3. ¿A qué edad comenzó a cantar Plácido Domingo?

   _____

   _____

4. ¿Qué le ocurrió cuando fue a una audición?

   _____

   _____

5. ¿Cómo pudo ganar fama en Nueva York en 1965?

   _____

   _____

6. ¿Qué papel hizo Plácido Domingo en su debut formal?

   _____

   _____

7. ¿Qué factores lo han ayudado para cantar en las mejores casas de ópera del mundo?

_____

_____

8. ¿Qué hicieron Plácido Domingo, Luciano Pavarotti y José Carreras en 1994 y cuál fue

el resultado?

_____

_____

9. ¿Qué ocurrió el 4 de octubre de 1999?

_____

_____

10. ¿Cuál es la atracción de las mujeres hacia Plácido Domingo?

_____

_____

¡ASÍ LO DECIMOS!

14-2 ¡A completar! Complete the following statements with words or expressions from **¡Así lo decimos!** Make changes when necessary.

1. Si el tenor cantara bien, el público lo _____ mucho.

2. El _____ musical de Plácido Domingo es muy extenso.

3. Yo no tengo miedo de cantar en el _____ de ese teatro.

4. La solista es una verdadera _____ de la ópera.

5. Antes de poder cantar en el teatro necesito tener una _____ .

6. La orquesta tendrá que _____ por dos semanas antes de que comience la

   ópera.

7. Un sexteto está compuesto de seis _____ .

8. Un cantanate que tiene la voz grave cuando canta es un _____ .

14-3 Definiciones.

Primera fase. Match each definition on the left with the corresponding word.

_____ 1. persona que escribe música   a. actos

_____ 2. persona que dirige una orquesta   b. banda

_____ 3. grupo de personas que cantan en una ópera   c. compositor/a

_____ 4. partes en que se divide una ópera   d. director/a

_____ 5. grupo musical compuesto por varios músicos   e. coro

Segunda fase. Now write a sentence for each word from the **Primera fase**.

1. _____

2. _____

3. _____

4. _____

5. _____

14-4 ¡Fuera de lugar! Circle the word that is out of place.

1. a. viola   b. violín   c. batería

2. a. trombón   b. maracas   c. trompeta

3. a. clarinete   b. batería   c. tambor

4. a. arpa   b. acordeón   c. guitarra

5. a. sexteto   b. octava   c. cuarteto

¡ASÍ LO HACEMOS!

Estructuras

1. *Hacer* in time expressions

14-5 El tiempo vuela. Write sentences with **hace que** to find out how things happened some time ago.

MODELO: Son las cuatro. El director / llegar / a las dos
Hace dos horas que llegó el director.

1. Hoy es sábado. La orquesta / ensayar / el viernes

   _____

2. Son las cinco. La zarzuela / comenzar / a las cuatro

   _____

3. Son las ocho. El coro / cantar / a las tres

   _____

4. Hoy es el 20 de agosto. La audición / terminarse / el 20 de julio

   _____

5. Hoy es martes. El compositor / componer la pieza / el sábado

   _____

6. Hoy es el 3 de mayo del 2001. La banda / tocar / el tres de mayo del 2000

   _____

7. Hoy es martes 17. La comedia / representarse / el viernes 13

   _____

8. Son las nueve. El músico / traer / la guitarra / a las ocho y media

   _____

14-6 ¿Cuánto tiempo hace? Use the cue in parentheses to answer each question.

1. ¿Cuánto tiempo hace que no vas a un concierto? (un día)

   _____

2. ¿Hace cuánto que no escuchas una sinfonía? (un mes)

   _____

3. ¿Hace cuánto que buscas boletos para la ópera? (un año)

   _____

4. ¿Cuánto tiempo hace que no has visto una zarzuela? (dos días)

   _____

5. ¿Hace cuánto que estás haciendo cola (*standing in line*)? (mucho tiempo)

   _____

6. ¿Cuánto tiempo hace que compones esta pieza? (dos semanas)

   _____

7. ¿Cuánto tiempo hace que tocas el piano? (cinco años)

   _____

8. ¿Hace cuánto tiempo que asistes a las funciones? (tres años)

   _____

14-7 La enfadada. Complete Mabel's explanation. Complete the sentences with the verbs in parentheses and complete the time expressions with **hacer**.

Son las tres y media de la tarde y (1)_____ más de una hora que yo

(2)_____ (esperar) a Eduardo. (3)_____ media hora que

(4)_____ (peinarse) en su casa. En quince minutos

(5)_____ (empezar) el concierto. (6)_____ más de un mes

que quiero verlo. Si Eduardo no (7)_____ (llegar) pronto, nosotros

(8)_____ (ir) a llegar tarde. Él siempre me (9)_____ (decir)

que (10)_____ (tener) que esperar por mí, pero esta vez

(11)_____ más de una hora que yo lo (12)_____ (esperar).

2. The pluperfect indicative

14-8 Nunca antes. Write negative statements telling what these people had never done before. Be sure to add any needed words.

MODELO: Andrés / comprar / boletos / para la ópera
Andrés nunca antes había comprado boletos para la ópera.

1. Carlos / visitar / un teatro

   _____

2. nosotros / conocer / a una diva

   _____

3. Herminio / ver / una comedia musical

   _____

4. los músicos / ensayar / esa pieza

   _____

5. la diva / ponerse / un traje feo

   _____

6. el compositor / componer / una zarzuela

   _____

7. los tenores / enfermarse

   _____

8. el director / abrir / el teatro / por la mañana

   _____

14-9 ¿Qué pasó? Write complete sentences in the past using the words provided to describe the problems these people had. Use the preterit in the first half of each sentence and the pluperfect in the second half. Add any necessary words and make any needed changes.

MODELO: cuando / nosotros / recibir / la invitación // ya / empezar / concierto
Cuando nosotros recibimos la invitación, ya había empezado el concierto.

1. cuando / yo / llegar / teatro // mis amigos / ya / sentarse

   _____

   _____

2. cuando / el director / regresar // el coro / ya / cantar

   _____

   _____

3. cuando / Luis / comprar / entradas // Pedro / ya / conseguir

   _____

   _____

4. cuando / el tenor / improvisar / pieza // ya / el bajo / ensayar

   _____

   _____

5. cuando / la soprano / cantar // público / ya / aplaudir

   _____

   _____

6. cuando / nosotros / volver // la comedia / ya / terminarse

   _____

   _____

7. cuando / tú / traer / guitarra // ya / sexteto / tocar

   _____

   _____

8. cuando Ramón y tú / visitar / teatro // yo / ya / hablar / con Plácido

   _____

   _____

SEGUNDA PARTE

¡Así es la vida!

14-10 ¿Cierto o falso? Reread **¡Así es la vida!** on page 474 of your textbook and indicate whether the statement is **cierto (C)** or **falso (F)**. If the statement is false, write the correction in the space provided.

C   F   1. María Carolina es la hija menor del matrimonio.

_____

_____

C   F   2. Su padre fue presidente de Venezuela.

_____

_____

C   F   3. La pasión de su abuela son los deportes.

_____

_____

C   F   4. María Carolina se casó muy joven.

_____

_____

C   F   5. La segunda vez ella se casó con un político.

_____

_____

C   F   6. Los Herrera eran famosos antes de que Cristina fuera diseñadora.

_____

_____

C F   7. Carolina se hizo diseñadora de modas en Nueva York, impulsada por Reinaldo

Herrera.

_____

_____

C F   8. Según Carolina, lo fastuoso es parte de la elegancia.

_____

_____

C F   9. De acuerdo con Carolina, la competencia ayuda a mejorar el mundo de la moda.

_____

_____

C F 10. Carolina no cree que todos sus empleados sean iguales.

_____

_____

¡ASÍ LO DECIMOS!

14-11 ¡A completar! Complete the following statements with words or expressions from **¡Así lo decimos!** Make changes when necessary.

1. La _____ tenía puesto un vestido diseñado por Carolina Herrera.

2. Carolina Herrera es _____.

3. Nuestros _____ de Halloween dan miedo.

4. El esmoquin es una _____ de vestir.

5. Esta tarde mi novia irá a un _____ para ver los nuevos estilos.

6. La _____ en el modo de vestir es muy importante.

7. Bill Gates tiene un _____ con sus negocios.

8. La gabardina es una _____.

14-12 ¡A escoger! Choose the adjective from **¡Así lo decimos!** that best completes each of the following sentences. Make changes when necessary.

1. Ella tiene mucha gracia y es finísima. Es una persona _____.

2. Su esmoquin es formal y muy _____.

3. El baile de disfraces fue muy _____.

4. Hablar español es _____ en el mundo de hoy.

5. Por favor, no se ponga ropa _____ para la boda de mi hermana.

6. Federico habla cuatro idiomas y le encanta viajar. Es _____.

7. Su blusa es de algodón, cuesta poco y es muy _____.

14-13 Cuestionario. Answer each question with a complete sentence in Spanish.

1. Para ti, ¿qué significa estar de moda?

   _____

   _____

2. ¿Cuáles son tus telas favoritas? Explica.

   _____

   _____

3. ¿Prefieres lo sencillo o lo fastuoso en cuestiones de moda? ¿Por qué?

   _____

   _____

4. ¿Qué harías tú si te invitaran a una fiesta formal y no tuvieras la prenda de vestir adecuada?

   _____

   _____

5. ¿Te gustaría ser diseñador/a de modas? Da tus razones.

   _____

   _____

¡ASI LO HACEMOS!

Estructuras

3. The pluperfect subjunctive and the conditional perfect

14-14 ¡A cambiar! Change the following statements from the present to the past. Follow the model.

MODELO: Dudo que haya vuelto la diseñadora.
          Dudaba que hubiera vuelto la diseñadora.

1. Es probable que haya tenido un esmoquin.

   _____

2. No creo que la modelo haya trabajado allí.

   _____

3. Dudamos que la costurera haya hecho el vestido.

   _____

4. Esperas que no hayan vendido todas las blusas de rayón.

   _____

5. Siento que no hayas conseguido un vestido de lentejuelas.

   _____

6. Esperan que tú ya hayas visto el sombrero de pana.

   _____

7. No creo que José y tú hayan abierto un negocio de alta costura.

   _____

8. Es probable que hayan traído un disfraz a la fiesta.

   _____

9. Es imposible que su hermano haya conocido a Carolina.

   _____

10. Tengo miedo que las chicas no se hayan puesto el abrigo.

    _____

14-15 ¡Ojalá que! Imagine that you wish that some things that happened would never have occurred. Use the pluperfect subjunctive of the verb in parentheses.

1. Ojalá que no (morir) _____ tantos animales a causa de los abrigos de piel.

2. Ojalá que los diseñadores no (diseñar) _____ tantos artículos de piel.

3. Ojalá que muchos diseñadores no (ser) _____ tan irresponsables.

4. Ojalá que los desfiles no (estar) _____ tan fastuosos.

5. Ojalá que las tiendas no (vender) _____ nunca sombreros de piel.

6. Ojalá que nosotros no (vivir) _____ en un mundo tan fastuoso.

7. Ojalá que las fábricas de tela no (echar) _____ deshechos en los ríos.

8. Ojalá que los científicos no (inventar) _____ artículos de poliéster.

14-16 Cambios y más cambios. Change the tenses in the following statements that show contrary-to-fact situations to the perfect tenses. Follow the model.

MODELO: Si me regalaran un abrigo de piel, lo devolvería.
          Si me hubieran regalado un abrigo de piel lo habría devuelto.

1. Si fuera una camisa de algodón, la compraría.

   _____

2. Si la modelo quisiera salir conmigo, la invitaría.

   _____

3. Si tuviera dinero, iría al desfile de moda.

   _____

4. Si tuviera talento, sería diseñador/a.

   _____

5. Si fuera rico/a, tendría un imperio.

   _____

6. Si pudiera, haría una campaña en contra de los abrigos de piel.

   _____

14-17 Si yo hubiera sido. . . Say what you would have done by completing the statements below with the pluperfect subjunctive or the conditional perfect.

1. Si yo hubiera sido modelo, _____

_____

2. Si yo hubiera sido diseñador/a, _____

_____

3. Si yo hubiera sido costurero/a, _____

_____

4. Si yo hubiera sido una persona más divertida, _____

_____

5. Si yo hubiera sido una persona más fastuosa, _____

_____

4. Indirect commands

14-18 ¡Que todo vaya bien! Imagine that your friend is a designer who is preparing to show her latest styles. Encourage everyone to act based on the cues and the **modelo**.

MODELO: Las modelos aún no están listas. (vestirse)
          ¡Que se vistan rápido!

1. Este vestido tiene una mancha (stain) en la falda. (ponerse otro)

_____

2. Estos zapatos son perfectos para este vestido que llevo. (ponérselos la modelo)

_____

3. La modelo no encuentra el vestido negro. (buscarlo en la caja)

_____

4. La dueña está muy nerviosa. (calmarse)

_____

5. Todo está listo. (salir las modelos)

_____

14-19 Consejitos. Imagine that your children plan to do the following things. Ask someone to give them small bits of advice using indirect commands.

MODELO: Van a nadar en el río.
          ¡Que tengan mucho cuidado!

1. Van a mirar televisión.

   _____

2. Van a la fiesta de Antonio.

   _____

3. Van a almorzar.

   _____

4. Van a estudiar para el examen.

   _____

5. Van a llamar a la tía Isabel.

   _____

TALLER

14-20 El arte para mí. Make a list of the one or two visual or performing art forms that interest you most (paintings, sculpture, architecture, fashion design, literature, etc.). Describe in Spanish the art form, and why it interests you. Who are some of your favorite artists (designers, composers, etc.), and what are some of your favorite works?

_____

_____

_____

_____

_____

_____

14-21 La ropa que llevamos. Who's responsible for the clothing designs that are in style today? Using the Internet or library resources, look up information on today's styles. Are any of the designers Hispanic? Make a list of at least four current styles and describe them in Spanish. List designers when possible.

_____

_____

_____

_____

_____

_____

14-22 Más allá de las páginas: Lo real maravilloso. The stories of Enrique Anderson-Imbert, like the works by many Latin American authors since around the 1940s, have what some call an element of **lo real maravilloso.** The Cuban novelist, Alejo Carpentier, coined the phrase **lo real maravilloso** in an effort to express events of everyday life together with the marvelous nature of Latin American geography and history, and Gabriel García Márquez says that it's the way his grandmother used to tell him stories. The real seems to slip into fantasy, often very subtly and matter-of-factly. Write in Spanish a simple description of something that happened to you. After you complete the paragraph, alter one sentence or outcome to add a touch of **lo real maravilloso** to the description.

MODELO: ¡Hacía tanto calor que me moría! Mi maestra me había dicho que el color negro atraía el calor y eso me dio una idea. Construí una caja de madera y adentro la pinté de negro. Al día siguiente, salí con mi caja y la abrí , apuntándola hacia el sol. Pero ¡nada! Otro día horrible. Esa noche, entré a la casa enojada con mi caja y la puse en la mesa. Cuando mi hermanito la abrió, gritó y vi, horrorizada, que tenía la cara quemada. . .

_____

_____

_____

_____

_____

_____

LECCIÓN 15

¿Te gusta la política?

PRIMERA PARTE

¡Así es la vida!

15-1 ¿Recuerdas? Reread the text on page 493 of your textbook, and answer the questions below with complete sentences in Spanish.

1. ¿Qué ocurrió en diciembre de 1987?

   _____

   _____

2. ¿Cómo continúa su labor humanitaria el Dr. Arias?

   _____

   _____

3. ¿Cómo se llama el proyecto de la fundación y cuál es su objetivo?

   _____

   _____

4. ¿Con qué ha sido asociada tradicionalmente el área de Centroamérica?

   _____

   _____

5. ¿En qué áreas se concentra el proyecto para lograr la paz?

   _____

   _____

6. ¿Cómo se han caracterizado los ejércitos en los países en desarrollo?

   _____

   _____

7. ¿Qué hizo la Comisión que formó el Centro?

_____

_____

8. ¿Qué países latinoamericanos abolieron los ejércitos gracias al Centro?

_____

_____

9. Según el Código Internacional para la transferencia de Armas, ¿a qué países se les prohíbe la

venta de armas?

_____

_____

10. ¿Cuál es una de las maneras para evitar el resurgimiento de la violencia?

_____

_____

¡ASÍ LO DECIMOS!

15-2 ¡A completar! Complete the following statements with words or expressions from **¡Así lo decimos!** Make changes when necessary.

1. El _____ de China es muy grande.

2. Óscar Arias es _____ porque quiere la paz mundial.

3. Tengo miedo que haya un _____ de violencia en ese país.

4. Los EE. UU. tienen muchas _____ nucleares.

5. La _____ entre Japón y los EE. UU. comenzó en 1941.

6. El estudiante tiene que hacer un mayor _____ en su clase de español.

7. Discutiremos la paz mundial en nuestro _____ estudiantil.

8. La gente de ese país no tiene trabajo y muchos de ellos viven en la _____.

9. La compra de submarinos es parte del _____ entre esos países.

10. Costa Rica está _____ de Óscar Arias.

15-3 ¡A escribir! Write a sentence with each of the following verbs.

1. abolir _____

_____

2. fortalecer _____

_____

3. lograr _____

_____

4. procurar _____

_____

5. promover _____

_____

6. violar _____

_____

15-4 Preguntas personales. Answer each question in Spanish.

1. ¿Cómo crees que puede haber paz mundial?

_____

_____

2. ¿Cuáles son algunos de los derechos humanos?

_____

_____

3. ¿Qué harías para terminar con la pobreza?

_____

_____

4. ¿Crees que los países deben abolir los ejércitos? Explica.

_____

_____

5. ¿Por qué hay guerras entre los seres humanos?

_____

_____

¡ASÍ LO HACEMOS!

Estructuras

1. The subjunctive with indefinite and nonexistent antecedents

15-5 ¡A cambiar! Rewrite the following sentences using the subjunctive to describe an indefinite person or object.

MODELO: Quiero hablar con el señor que quiere la paz.
Quiero hablar con un señor que quiera la paz.

1. Busco el editorial que discute la democratización.

   _____

2. ¿Conoces al político que quiere terminar con la pobreza?

   _____

3. Hay alguien en el foro que yo conozco.

   _____

4. Busco a la comisión que redacta el código.

   _____

5. Queremos al ejército que no viola los derechos humanos.

   _____

6. ¿Buscas al activista que procura la desmilitarización?

   _____

7. Necesito al secretario que entiende la resolución.

   _____

8. ¿Conoces al activista que consigue esos documentos?

   _____

Nombre: _____ Fecha: _____

15-6 Situaciones. Complete the following statements with the subjunctive or indicative form of the verb in parentheses.

1. Nuestro país tiene un guerrero que (ser) _____ valiente, pero necesitamos unos guerreros que más (ser) _____ valientes también.

2. Conozco al activista que (trabajar) _____ mucho, pero queremos un activista que (poder) _____ hacer más.

3. No hay ningún político que (tener) _____ buenos programas. Hay muchos que no (ser) _____ muy buenos.

4. Hay muchos ciudadanos que (parecer) _____ decisivos (*decisive*). Buscamos un ciudadano que (querer) _____ ser decisivo.

5. Éste es el líder que (respetar) _____ los derechos humanos. Queremos un líder que no (violar) _____ los derechos humanos.

6. Conozco al presidente que (eliminar) _____ la pobreza. Buscamos un presidente que (hacer) _____ eso.

7. —¿Hay algún país que (querer) _____ abolir el ejército?
   —No, no hay ningún país que (poder) _____ hacerlo.

8. —¿Conoces al líder que (estar) _____ contento con sus esfuerzos?
   —No, no conozco ningún líder que (estar) _____ contento con sus esfuerzos.

9. Conozco al general que (preferir) _____ el desarme. No hay ningún general que (conseguir) _____ el desarme.

10. Necesitamos un presidente que (resolver) _____ los problemas del país. No hay nadie aquí que (lograr) _____ hacerlo.

15-7 Los ciudadanos. Rewrite the following paragraph about the citizens' search for a qualified leader, using the appropriate form of the verbs in parentheses.

Nosotros somos ciudadanos de un país en desarrollo. Buscamos un líder que

(1)_____ (ser) honesto, que (2)_____ (tener) buenas ideas y que

(3)_____ (poder) resolver nuestros problemas. ¿Sabes dónde hay un líder que

(4)_____ (tener) estas calificaciones y que (5)_____ (querer) ayudarnos?

15-8 Anuncios. You are a newspaper publisher and you need to fill some positions. Write ads using the information given.

MODELO: buscar reportera—hablar español e inglés, saber escribir bien, ser simpática
Se busca una reportera que hable español e inglés, que sepa escribir bien y que sea simpática.

1. necesitar editorialista—ser decisivo, promover el diálogo, lograr nuestros objetivos

   _____

   _____

2. buscar comentarista—tener contacto con los ciudadanos, promover nuestras ideas, procurar

   llevar nuestro mensaje al pueblo

   _____

   _____

3. solicitar secretaria—hablar bien con el público, ser inteligente, llevarse bien con los demás

   _____

   _____

4. necesitar vendedores—poder vender anuncios, creer en nuestro periódico, querer mejorar las

   ventas

   _____

   _____

5. necesitar artista—poder ilustrar bien, diseñar nuevos diseños, tener nuevas ideas

   _____

   _____

2. The relative pronouns *que*, *quien*, and *lo que*

15-9 Una conversación. Two friends are having a conversation. Complete their conversation using the relative pronouns **que**, **quien** or **lo que**.

JORGE: Allí está el líder con (1) _____ quiero hablar.

JOAQUÍN: No sabía (2) _____ lo conocías.

JORGE: No, no lo conozco pero sé (3) _____ es honesto.

JOAQUÍN: ¿Sabes (4) _____ está medio loco?

JORGE: Dicen eso, pero (5) _____ me gustan son sus ideas.

JOAQUÍN: A mí también me gustan sus ideas, pero (6) _____ no me gusta

es el consejero (7) _____ está con él.

JORGE: Y ¿quién es?

JOAQUÍN: Es un señor (8) _____ es muy corrupto.

JORGE: El consejero no me importa, (9) _____ me importa es el líder.

15-10 El máximo líder. El máximo líder needs help with his program. Complete the paragraph with the appropriate relative pronoun **que**, **quien(es)**, or **lo que**.

El máximo líder es muy inteligente. (1) _____ pasa es

(2) _____ es un poco tímido. (3) _____ menos le gusta es

hablarle al pueblo, por eso, (4) _____ tiene que hacer es pedir ayuda. Sus

consejeros, en (5) _____ él confía y (6) _____ tienen sus

mismas ideas, lo ayudan mucho y le dicen (7) _____ tiene que hacer. Ellos le

aconsejan (8) _____ sea menos tímido y (9) _____ siempre

les diga la verdad. Es muy importante (10) _____ el máximo líder los escuche y

(11) _____ (12) _____ haga, lo haga bien.

SEGUNDA PARTE

¡Así es la vida!

15-11 La política. Reread the speech on page 503 of your textbook. Answer the questions below with complete sentences in Spanish.

1. ¿Quién es Amado Bocagrande?

   _____

2. ¿Qué le ocurrió cuando estaba pronunciando el discurso?

   _____

3. ¿Qué afronta la República de Paloquemado?

   _____

4. ¿Qué duda Amado Bocagrande?

   _____

5. ¿Qué es importante, según el Sr. Bocagrande?

   _____

6. ¿Qué promesas les hace el Sr. Bocagrande a los habitantes de Paloquemado?

   _____

7. ¿Cuál es el lema del señor Bocagrande?

   _____

¡ASÍ LO DECIMOS!

15-12 Un editorial. What position does Paloquemado's leading editorialist take with regard to the upcoming elections? To find out, complete the editorial. Use the present subjunctive, the present indicative, or the infinitive form of each verb, as necessary.

. . .Todos los políticos dicen que van a (1)_____ (afrontar) los problemas del

pueblo. También dicen que quieren (2)_____ (mejorar) las condiciones de vida

de los ciudadanos. Para mí, es necesario que ellos (3)_____ (combatir) los

problemas más serios ahora mismo. Quiero que ellos (4)_____ (establecer) unos

comités para estudiar estos problemas. También, les sugiero que

(5)_____ (eliminar) el desempleo ahora, dándole trabajo a la gente. Así pueden

(6)_____ (ayudar) al mismo tiempo en la reconstrucción de las ciudades. No

pueden (7)_____ (prevenir) el desempleo totalmente en el futuro, pero hay que

hacer algo ahora. El desempleo (8)_____ (aumentar) el número de crímenes y

causa otros problemas sociales. Si nosotros (9)_____ (apoyar) a Bocagrande, es

importante que él (10)_____ (resolver) algunos de los problemas más serios. . .

15-13 ¡A completar! How well can you discuss politics and government? Complete the statements with words or expressions from **¡Así lo decimos!**

1. En una democracia, el _____ es el líder del país.

2. Una mujer que le da consejos al presidente es su _____.

3. El _____ es el líder de una ciudad o de un pueblo.

4. La _____ trabaja en una corte y decide cuestiones relacionadas con las

   _____.

5. Los candidatos hacen _____ elocuentes en los que atacan a sus

   _____.

6. Al líder de una dictadura se le llama el _____.

7. Un representante trabaja en la _____ y un senador en el

_____.

8. Antes de las elecciones, siempre hay _____ políticas.

9. El _____ de un gobernador es servir al pueblo.

10. En los EE. UU. las _____ presidenciales son en noviembre.

15-14 Las promesas. You are running for an important political office. Write eight campaign promises using the terms from the list below.

MODELO: *Si ustedes me eligen, eliminaré la contaminación del aire.*

el aborto	el desempleo
la corrupción	los impuestos
el crimen	la inflación
la defensa	los programas sociales

1. _____

2. _____

3. _____

4. _____

5. _____

6. _____

7. _____

8. _____

¡ASÍ LO HACEMOS!

Estructuras

3. *Se* for unplanned occurrences

15-15 Problemas, problemas. Rewrite the sentences below, substituting the cues in parentheses.

MODELO: A Carol se le rompió la silla. (a mí)
           A mí se me rompió la silla.

1. A Bocagrande se le quedó el discurso en casa. (a nosotros, a ti, a mí)

   _____

   _____

   _____

2. Se me perdieron los editoriales. (a Ana, a Pedro y a Rodrigo, a nosotros)

   _____

   _____

   _____

3. Se nos olvidó asistir al foro. (a ti, a mí, a mis asesores)

   _____

   _____

   _____

4. A Pocopelo y a Sabelotodo se les acabaron los discursos. (a las senadoras, a la representante, al gobernador)

   _____

   _____

   _____

5. A los obreros se les terminó su trabajo. (a nuestros padres, a nosotros, a ti y a tu hermana)

   _____

   _____

   _____

15-16 Excusas, excusas. Everyone has excuses. Following the model and using the cues in parentheses, answer the questions below.

MODELO: ¿Dónde están las estadísticas? (perder/yo)
          Se me perdieron.

1. ¿Por qué no oíste el discurso? (olvidarse la fecha/yo)

   _____

2. ¿Por qué no fueron al foro? (perderse la dirección/nosotros)

   _____

3. ¿Por qué no fue el dictador a la reunión? (dañarse [*to break*] el coche/él)

   _____

4. ¿Por qué no siguió Bocagrande con su programa? (acabarse el dinero/él)

   _____

5. ¿Por qué no vinieron ellos a almorzar con los representantes? (ocurrirse dormir la siesta/ellos)

   _____

6. ¿Por qué no llegó la reina? (irse el tren/ella)

   _____

7. ¿Por qué no escribieron los discursos los candidatos? (morirse sus secretarios/ellos)

   _____

8. ¿Por qué no hay más programas sociales? (perderse el presupuesto/presidente)

   _____

4. The passive voice

15-17 ¡A cambiar! Rewrite each statement in the passive voice, expressing the agent.

MODELO: El senado aprobó el presupuesto.
El presupuesto fue aprobado por el senado.

1. El dictador eliminó la democracia.

   _____

2. El presidente aumentó el presupuesto.

   _____

3. Los ciudadanos eligieron a sus representantes.

   _____

4. Los candidatos de ese partido ganaron varios escaños.

   _____

5. Yo perdí las elecciones.

   _____

6. La corte suprema resolvió el problema.

   _____

7. Los representantes hicieron el presupuesto.

   _____

8. El congreso abolió el ejército y la compra de armas.

   _____

9. Los ministros controlaron la inflación.

   _____

10. La reina visitó Paraguay y Uruguay.

    _____

15-18 ¿Quién hizo qué? The President wants to know who took care of the following tasks. Answer the questions based on the model.

MODELO: ¿Se redujo la tasa de desempleo? (el ministro)
          Sí, la tasa de desempleo fue reducida por el ministro.

1. ¿Se estableció un programa de reciclaje? (el senado)

   _____

2. ¿Se le puso la multa a la fábrica? (el juez)

   _____

3. ¿Se promovieron los derechos humanos? (los representantes)

   _____

4. ¿Se eliminó la pobreza en esa ciudad? (la alcaldesa)

   _____

5. ¿Se combatió el crimen en el estado? (la gobernadora)

   _____

6. ¿Se aumentaron los impuestos? (el congreso)

   _____

7. ¿Se logró la desmilitarización? (los ciudadanos)

   _____

8. ¿Se buscaron más fondos para los programas de ayuda social? (los senadores)

   _____

15-19 Ante la prensa. Imagine that you are a candidate for the presidency of the U.S. and that you are conducting a press conference. Answer the following questions in Spanish by using complete sentences.

1. ¿Cómo será combatido el crimen durante su presidencia?

_____

_____

2. ¿Cuáles impuestos se eliminarán?

_____

_____

3. ¿Qué se hará con el ejército?

_____

_____

4. ¿Cómo será reducida la tasa de desempleo?

_____

_____

5. ¿Cómo podrán ser aumentados los programas de ayuda social?

_____

_____

5. *Pero* versus *sino*

15-20 Habla el pueblo. Find out what the people and candidates want by completing each statement with either **pero** or **sino**.

1. Los trabajadores no desean más impuestos _____ más aumentos.

2. Nosotros queremos elegir a Bocagrande, _____ no podemos votar.

3. Evelio y Abilio no pronuncian un discurso _____ que repiten el lema.

4. Mis amigos prefieren más programas sociales, _____ no quieren pagar por

   ellos.

5. Él quiere ser senador, _____ teme pronunciar discursos.

6. Ellos no piensan ser representantes _____ gobernadores.

7. No deseamos la dictadura _____ la democracia.

8. No prefiero a este candidato _____ al otro.

9. Me gusta Bocagrande, _____ no me gusta su partido.

10. No voy a votar por él _____ por su contrincante.

15-21 El discurso de Bocagrande. Complete Bocagrande's speech with **pero** or **sino**.

Estimados amigos:

Nuestro pueblo busca un nuevo camino, (1) _____ tenemos que buscarlo con

más entusiasmo. Necesitamos tener más programas sociales, (2) _____ no

queremos tener más impuestos. No queremos división (3) _____ cooperación.

No queremos más crimen (4) _____ más ayuda para combatir el crimen. No les

pido que voten por mí a partido (5) _____ por la democracia. Queremos una

democracia, (6) _____ una democracia que sea para el pueblo. Yo quiero que

ustedes voten, (7) _____ voten por mí. Muchas gracias.

TALLER

15-22 Mi programa electoral y mi lema

Primera fase. Imagine that you are running for an elected office. To help you establish your platform, list in Spanish your position regarding ten issues. The issues can be local, national, and/or international.

_____

_____

_____

_____

_____

_____

_____

_____

_____

Segunda fase. Based on the platform you established in the **Primera fase**, come up with at least one slogan for your campaign.

_____

_____

_____

15-23 Partidos políticos. Select a Spanish-speaking country that interests you and use the Internet or library resources to find information on the political parties in that country. Find the names of the more prominent parties and general information on the platform of each party. Then, indicate which party you might favor and why.

PAÍS: _____

PARTIDOS POLÍTICOS PRINCIPALES: _____

_____

_____

_____

PROGRAMAS ELECTORALES:

PARTIDOS: _____

_____

_____

_____

PARTIDOS: _____

_____

_____

_____

PARTIDOS: _____

_____

_____

_____

EL PARTIDO POLÍTICO QUE YO PREFIERO...

_____

_____

_____

15-24 Más allá de las páginas: La inmigración. *Bajo la alambrada* provides a small glimpse of the dreams and frustrations of immigrants who try to come the U.S. to work. There are many opinions for and against legislation to restrict immigration and immigrant rights. Make a list of five advantages and disadvantages concerning immigration. Make your list based on your knowledge of the situation, interview people in your community who are informed on immigration issues, or research information on the Internet or in the library.

LA INMIGRACIÓN

VENTAJAS   DESVENTAJAS

_____

_____

_____

_____